Schriften der Philosophisch-historischen Klasse
der Heidelberger Akademie der Wissenschaften

Band 32 (2004)

CUSANUS-TEXTE

III. Marginalien
5. Apuleius. Hermes Trismegistus

Aus Codex Bruxellensis 10054-56

herausgegeben und erläutert von
PASQUALE ARFÉ

Vorgelegt am 18. Oktober 2003
von Werner Beierwaltes

UNIVERSITÄTSVERLAG WINTER GMBH
HEIDELBERG

Bibliografische Information der Deutschen Bibliothek

Die Deutsche Bibliothek verzeichnet diese Publikation in der Deutschen
Nationalbibliografie; detaillierte bibliografische Daten sind im Internet über
http://dnb.ddb.de abrufbar

ISBN 3-8253-1596-7

© 2004. Universitätsverlag Winter GmbH Heidelberg
Imprimé en Allemagne · Printed in Germany
Druck: Memminger MedienCentrum AG, 87700 Memmingen

Gedruckt auf umweltfreundlichem, chlorfrei gebleichtem und alterungsbeständigem Papier

Den Verlag erreichen Sie im Internet unter:
www.winter-verlag-hd.de

NICOLAI DE CVSA

ANNOTATIONES

IN

APVLEI MADAVRENSIS

DE PHILOSOPHIA LIBROS

ET

HERMETIS TRISMEGISTI

ASCLEPIVM

(BIBLIOTHECAE REGIAE ALBERTI PRIMI

COD. BRVXELLENSIS 10054-56)

CVRA ET STVDIO

PASCHALIS ARFÉ

PREFAZIONE

Il presente lavoro è stato elaborato all'interno di un più ampio *iter* di ricerca volto a rintracciare i rapporti tra l'opera e il pensiero del Cardinale Nicola Cusano e la tradizione ermetica[1]. L'originalità e la ricchezza degli interessi culturali e speculativi del filosofo hanno fino ad oggi mostrato che molteplici sono gli elementi di connessione tra i due poli della ricerca in oggetto[2]. I contatti che Cusano ha stabilito nel corso della sua vita con importanti testimoni indiretti della tradizione ermetica tra Medio Evo e Rinascimento sono svariati e ben differenziati. L'analisi di queste relazioni richiederà studi ulteriori. Ma ogni tentativo di valutazione del significato di base dell'ermetismo in Cusano resta ovviamente affidato all'esame del suo contatto diretto con le dottrine ermetiche e, paricolarmente, con l'*Asclepius* che di quelle fonti rappresenta il più importante testimone latino. Due principali fattori giovano allo svolgimento di un tale esame nel codice posseduto da Cusano, attuale Bruxelles, Bibliothèque Royale Albert 1er, 10054-56: l'inserzione dell'*Asclepius* tra i *Libri philosophici* di Apuleio e la presenza di suoi *marginalia*[3]. Lo studio contrastivo delle

---

[1] Progetto finanziato con il contributo economico dell'Istituto Italiano per gli Studi Filosofici di Napoli e gli Assegni di Ricerca (1999-2001) e (2001-2003) dell'Università degli Studi di Napoli "L'Orientale".

[2] Si sono finora pubblicati i seguenti studi: P. Arfé, *The Annotations of Nicolaus Cusanus and Giovanni Andrea Bussi on the Asclepius*, "Journal of the Warburg and Courtauld Institutes", 62 (1999), pp. 29-59; Id., *Alberto Magno e Nicola Cusano interpreti dell'Asclepius*, in M. Thurner (ed.), Nicolaus Cusanus zwischen Deutschland und Italien (Beiträge eines deutsch-italienischen Symposiums aus Anlass des 600. Geburtstages des Nicolaus Cusanus in der Villa Vigoni, Loveno di Menaggio 28. 3.-1.4.2001), Berlin 2002, pp. 129-151; Id., *Ermete Trismegisto e Nicola Cusano*, in P. Lucentini-I. Parri-V. Perrone Compagni (edd.), La tradizione ermetica dal mondo tardo-antico all'Umanesimo/Hermetism from Late Antiquity to Humanism (Atti del Convegno internazionale di studi Napoli 20-24 novembre 2001), Turnhout 2003, pp. 223-243.

[3] Sul significato storico, filologico e filosofico dei *marginalia*, cf. V. Fera-G. Ferraù-S. Rizzo (edd.), *Talking to the Text: Marginalia from Papyri to Print* (Proceedings of a Conference held at Erice, 26 september - 3 october 1998, as the 12th Course of International School for the Study of Written Records), vv. I-II, Messina 2002.

due diverse tradizioni del medio-platonismo e dell'ermetismo, che la storia della tradizione manoscritta medievale ha visto strettamente congiunte, condotto mediante la guida dei *marginalia* di Cusano ha, infatti, determinato non solo la focalizzazione di elementi fondanti della speculazione del filosofo, ma sul piano della ricerca storiografica generale ha anche stimolato l'esigenza di una definizione più precisa dei rapporti differenziali tra le due fonti in questione. Credo con ciò di essermi in un certo qual modo accostato allo scopo proprio di ogni studio ed edizione di *marginalia*: connettere insieme più mondi, storicamente separati, per restituirli di nuovo distinti nel processo dell'interpretazione storica.

Ringrazio tutti gli amici e le istituzioni, che hanno incoraggiato e favorito la realizzazione di questo lavoro. Sono particolarmente grato a Werner Beierwaltes, Presidente della Cusanus-Commission di Heidelberg, Tullio Gregory, Direttore della Scuola di Studi Superiori dell'Istituto Italiano per gli Studi Filosofici di Napoli, Concetta Bianca (Firenze), Jill Kraye (London), Paolo Lucentini (Napoli) e Hans Gerhard Senger (Köln) per le preziose indicazioni scientifiche. Con Antonio La Bernarda, Heidi Hein, Silvia Donati e Jenny Boyle desidero, inoltre, ringraziare il Deutsches Historisches Institut (Roma), l'Institut für Cusanus-Forschung (Trier), il Thomas-Institut (Köln) e il Warburg Institut (London) per aver favorito l'acquisizione di dati e materiale bibliografico. La mia speciale gratitudine è, infine, rivolta ad Ann Kelders, Direttrice della sezione manoscritti della Bibliothèque Royale Albert 1er di Bruxelles, per la solerte e competente disponibilità nel facilitare le mie ricerche.

Questo lavoro è dedicato a Carlo e Grazia, i miei cari genitori.

Napoli, 21 settembre 2003   P. A.

INDICE GENERALE

Lucium igitur Apuleium Platonicum, in quo uno summae eruditioni praecipua linguae copia et gratia coniuncta est, mediocri vigilantia, ut in exemplariorum penuria licuit, redegi in unum corpus, variis in locis membratim perquisitum, eumque impressoribus nostris tradidi exarandum ... cum praesertim idem ipse (*scil.* Apuleius) sit Trimegistum interpretatus et antiquissimum et divinum philosophum qui liber septimum locum in operibus tenebit.

Ioannis Andreae episcopi Aleriensis
epistola ad Paulum II pontificem maximum
Lucii Apuleii Opera (28. II. 1469)[1]

PRIMA PARTE: INTRODUZIONE

Il manoscritto Bruxelles, Bibliothèque Royale Albert 1er, 10054–56 è uno dei più significativi documenti della storia del platonismo ed ermetismo latini[2]. Esso contiene le opere filosofiche di Apuleio di Madaura (*De deo Socratis, De Platone et eius dogmate, De mundo*) e l'*Asclepius* attribuito a Ermete Trismegisto con una serie di correzioni di Giovanni Andrea Bussi e di note marginali di Nicola Cusano[3]. Fu probabilmente acquisito e annotato dal filosofo nel decennio

---

[1] Giovanni Andrea Bussi, *Prefazioni alle edizioni di Sweynheym e Pannartz prototipografi romani*, a cura di M. Miglio, Milano 1978, pp. 11–19 (12–13, 16–17).

[2] R. Klibansky-F. Regen, *Die Handschriften der philosophischen Werke des Apuleius. Ein Beitrag zur Überlieferungsgeschichte*, Göttingen 1993, pp. 60–62. P. Lucentini, *Glosae super Trismegistum. Un commento medievale all'Asclepius ermetico* (Appendice. I codici dell'*Asclepius*), "Archives d'Histoire Doctrinale et Littéraire du Moyen Age", 62 (1995), pp. 283–293 (285, 6).

[3] Per una lista di edizioni critiche moderne degli *Opuscula* apuleiani e dell'*Asclepius*, cf. *infra* (sezione III). Per le annotazioni nel *Bruxellensis*, cf. E. Vansteenberghe, *Le cardinal Nicolas de Cues (1401–1464). L'action, la pensée*, Paris 1920, pp. 432–436; E. Van de Vyver, *Annotations de Nicolas de Cues dans plusieurs manuscrits de la Bibliothèque Royale de Bruxelles*, in Nicolò da Cusa (Relazioni tenute al convegno interuniversitario a Bressanone nel 1960), Firenze 1962, pp. 47–61; Id., *Die Handschriften aus dem Besitz des Nikolaus von Kues in der Königlichen Bibliothek zu Brüssel*, "Mitteilungen und Forschungsbeiträge der Cusanus-Gesellschaft" (= MFCG), 4 (1964), pp. 323–335 (328); P. Arfé, *The Annotations of Nicolaus Cusanus and Giovanni Andrea Bussi on the Asclepius*, cit. *supra* Prefazione n. 2.

1430–1440, che scandisce la prima fase della sua attività letteraria[4], e conservato tra i libri prediletti fino agli ultimi anni di vita (1458–64), quando su invito di Pio II si trasferì a Roma per assolvere l'ufficio cardinalizio[5]. Costituì pertanto una preziosa fonte di ispirazione, non solo della fisionomia intellettuale espressa nel *De docta ignorantia* (1440), ma anche dell'ampia parabola speculativa e letteraria svolta negli anni successivi.

---

[4] Sul decennio 1430–40, cf. H.G. Senger, *Die Philosophie des Nikolaus von Kues vor dem Jahre 1440. Untersuchungen zur Entwicklung einer Philosophie in der Frühzeit des Nicolaus (1430–40)*, Münster 1971. Su luogo e data di acquisizione del codice, cf. *infra* la storia del manoscritto (sezione III).

[5] Cf. C. Bianca, *La biblioteca romana di Niccolò Cusano*, in M. Miglio et al. (edd.), Scrittura, biblioteche e stampa a Roma nel Quattrocento (Atti del 2° Seminario, Città del Vaticano 6–8 maggio 1982), Città del Vaticano 1983, pp. 669–708 (702, n. 114).

I.

Nicola Cusano e Apuleio di Madaura

La fortuna dello scrittore medio-platonico Apuleio di Madaura (125–170) nella cultura cristiana dell'Occidente latino risulta connessa sin dalle sue origini alla duplice fama di mago e di *philosophus Platonicus*[6]. I suoi scritti esercitarono un grande fascino e conobbero un'ampia diffusione a partire dalla tarda antichità, attraverso il Medio Evo, fino a tutto il Rinascimento[7].

In epoca tardo-antica, il primo riferimento esplicito ad Apuleio è attestato dalle *Divinae institutiones* di Lattanzio, che lo ritraggono nelle vesti di mago, autore di imprese mirifiche[8]. Ma è solo il *De civitate Dei* di Agostino a rivelare una conoscenza approfondita della sua opera nel quadro di una critica generale della cultura pagana[9]. L'interesse di Agostino per Apuleio si colora con una duplice sfumatura di significato: il retore di Madaura appare, da un lato, come il rappresentante di una filosofia di chiara marca platonica e, dunque, degno di un certo rispetto, ma, da un altro lato, come il trasmettitore di una pericolosa concezione demonologica, legittimo termine di confronto polemico con la

---

[6] S. Gersh, *Middle Platonism and Neoplatonism. The Latin Tradition*, Notre Dame (Indiana) 1986, I, pp. 215–328; B.L. Hijmans Jr., *Apuleius, philosophus Platonicus*, in W. Haase (ed.), Philosophie (Historische Einleitung; Platonismus), "Aufstieg und Niedergang der römischen Welt", 2, 36, 1 (1987), pp. 395–475; S.J. Harrison, *Apuleius. A Latin Sophist*, New York 2000.

[7] Cf. C. Moreschini, *Sulla fama di Apuleio nella tarda antichità*, in W. den Boer et al. (edd.), Romanitas et Christianitas. Studia Iano Henrico Waszink A.D. VI Kal. Nov. A. MCMLXXIII XIII lustra complenti oblata, Amsterdam-London 1973, pp. 243–248; Id., *Sulla fama di Apuleio nel Medioevo e Rinascimento*, in G. Varanini-P. Pignali (edd.), Studi filologici, letterari e storici in memoria di Guido Favati, Padova 1977, pp. 450–476; J. d'Amico, *The Progress of Renaissance Latin Prose: The Case of Apuleianism*, "Renaissance Quarterly", 37 (1984), pp. 351–392; Klibansky-Regen, *Die Handschriften der philosophischen Werke des Apuleius*, pp. 18–54.

[8] *Div. inst.* V,3,7. Il codice di Lattanzio posseduto da Cusano è l'attuale Bruxelles, Bibliothèque Royale Albert 1er, 9799–9809, ff. 147r–201r, cf. J. Van den Gheyn, *Catalogue des Manuscrits de la Bibliothèque Royale de Belgique, II. Patrologie*, Bruxelles 1902, pp. 276–277, n. 1327.

[9] *De civ. Dei* VIII–X. Sul rapporto di Agostino con Apuleio, cf. H. Hagendahl, *Augustine and the Latin Classics*, Göteborg 1967, pp. 17–28 e 680–689.

cultura cristiana[10]. La critica di Agostino si svolge, sulla base di una discussione della prima parte del *De deo Socratis*, contro il culto dei demoni quali intermediari tra dei e uomini[11]. La loro pretesa funzione di mediazione reale tra le sfere del divino e dell'umano viene rigorosamente confutata da Agostino, che conformemente alla rivelazione biblica la riteneva caratteristica propria ed esclusiva di Gesù Cristo, il mediatore perfetto[12].

Nel Medio Evo latino, quando la conoscenza diretta delle opere di Platone è ormai quasi del tutto perduta[13], la presenza e l'interesse per gli *Opuscula* di Apuleio divengono più vivi. La critica di Agostino passa sullo sfondo, e Apuleio viene letto e studiato non solo per se stesso, ma anche perché riferisce all'Occidente cristiano una sintesi manualistica del pensiero platonico. Le opere di Giovanni di Salisbury, Alberto Magno, Tommaso d'Aquino e molti altri attestano l'attenzione positiva tributata dai pensatori cristiani agli *Opuscula* filosofici di Apuleio, mentre in seguito, nel mondo degli umanisti, a partire dalla fine del secolo XIII, tende ad acquisire progressivamente importanza

---

[10] C. Moreschini, *La polemica di Agostino contro la demonologia di Apuleio*, "Annali della Scuola Normale Superiore di Pisa. Classe di Lettere e Filosofia", 3, 2, 2 (1972), pp. 583–596; M. Horsfall Scotti, *Apuleio tra magia e filosofia: la riscoperta di Agostino*, in Dicti studiosus. Scritti di filologia offerti a Scevola Mariotti dai suoi allievi, Urbino 1990, pp. 297–320.

[11] *De deo Socr.* I–XV, cf. Moreschini, *La polemica di Agostino contro la demonologia di Apuleio*, p. 596. Sulle premesse della critica di Agostino, cf. Horsfall Scotti, *Apuleio tra magia e filosofia: la riscoperta di Agostino*, pp. 304–307.

[12] P. Siniscalco, *Dai mediatori al mediatore. La demonologia di Apuleio e la critica di Agostino*, in E. Corsini-E. Costa (edd.), L'autunno del diavolo. "Diabolos, Dialogos, Daimon" (Convegno di Torino 17–21 ottobre 1988), Milano 1990, I, pp. 279–294; N. Fick, *Saint Augustin ou pourfendeur des démons païens ou La critique de la démonologie d'Apulée: De Civit. Dei, VIII, 14–22*, in M.-M. Mactoux-É. Geny (edd.), Discours religieux dans l'antiquité (Actes du colloque Besançon 27–28 janvier 1995), Paris 1995, pp. 189–206.

[13] Fatta eccezione per il frammento di *Timeo* 17a–53c nella versione di Calcidio, e *Fedone* e *Menone* tradotti da Enrico Aristippo, cf. R. Klibansky, *The Continuity of the Platonic Tradition during the Middle Ages and the Renaissance*, London 1939, p. 27, 31 (rist. with a new preface and four supplementary chapters together with *Plato's Parmenides in the Middle Ages and the Renaissance* with a new introductory Preface, New York – London – Nendeln 1982).

anche l'opera letteraria di Apuleio, principalmente attraverso la diffusione delle *Metamorfosi*[14].

Nel solco di questa ampia tradizione di studi si inscrive anche l'opera di Nicola Cusano, il cui interesse specificamente apuleiano risulta però difficilmente apprezzabile sia perché scarsamente attestato da citazioni esplicite sia perché tende a confondersi nel quadro della sua generale ispirazione platonica. Lo studio della presenza e recezione storica del platonismo in Cusano è materia di una certa complessità per la difficoltà di distinguere la natura e l'entità dei diversi apporti provenienti dalla ricca e multiforme tradizione indiretta delle fonti patristiche e medievali da ciò che, invece, il filosofo apprese direttamente in un'epoca che conosce la graduale riscoperta dell'opera originale di Platone[15]. A differenza dei predecessori medievali, Cusano conobbe, per il tramite dell'opera versoria degli umanisti, diversi dialoghi platonici fino ad allora ignoti alla cultura occidentale[16]. Resta, tuttavia, indubbio che la gran parte delle sue conoscenze platoniche venne mediata dalle *auctoritates* più autorevoli della tradizione tardo-antica e medievale. La biblioteca di Cusano conserva, infatti, a parte il *Bruxellensis* 10054–56, altri due codici apuleiani senza annotazioni: gli at-

---

[14] Cf. Moreschini, *Sulla fama di Apuleio nel Medioevo e rinascimento*, p. 469. Per uno studio degli influssi della tradizione ermetica sulla concezione apuleiana del mondo attraverso un'analisi delle Metamorfosi, cf. H. Münstermann, *Apuleius: Metamorphosen literarischer Vorlagen. Untersuchung dreier Episoden des Romans unter Berücksichtigung der Philosophie und Theologie des Apuleius*, Stuttgart 1995.

[15] Per una recente ricerca, cf. M.L. Führer, *Cusanus Platonicus. References to the Term 'Platonici' in Nicholas of Cusa*, in S. Gersh-M.J.F.M. Hoenen (edd.), The Platonic Tradition in the Middle Ages. A Doxographic Approach, Berlin-New York 2002, pp. 345–370 (350, Appendices 14). Per la conoscenza di Platone da parte di Cusano cf. C. Bianca, *Niccolò Cusano e la sua biblioteca: note, 'notabilia', glosse*, in E. Canone (ed.), Bibliothecae selectae. Da Cusano a Leopardi, Firenze 1993, pp. 1–11 (10–11); S. Gentile, *'Marginalia' umanistica e tradizione platonica*, in Fera-Ferraù-Rizzo, Talking to the Text: Marginalia from Papyri to Print (cit. *supra Prefazione* n. 3), pp. 407–432 (424–426).

[16] Su dialoghi di Platone e i codici, cf. J. Hirschberger, *Das Platon-Bild bei Nikolaus von Kues*, in Nicolò Cusano agli inizi del mondo moderno (Atti del Congresso internazionale in occasione del V centenario della morte di Niccolò Cusano, Bressanone 6–10 settembre 1964), Firenze 1970, pp. 113–135; G. Santinello, *Il neoplatonismo di Nicolò Cusano*, in P. Prini (ed.), Il neoplatonismo nel Rinascimento (Atti del convegno internazionale a Roma-Firenze 12–15

tuali Bruxelles, Bibliothèque Royale Albert 1ᵉʳ, 3920–23, che contiene il *De Platone et eius dogmate* e il *De mundo*, e Kues (Bernkastel-), Bibliothek des St. Nikolaus Hospitals, cod. Cus. 171, con l'opera spuria Περὶ ἑρμηνείας[17].

Così oltre Macrobio, Agostino, Boezio, Proclo e Dionigi, uno dei principali ispiratori della cultura platonica di Cusano fu certamente Apuleio, come attesta il *Bruxellensis* 10054–56, l'unico codice apuleiano del filosofo che ci trasmette sue annotazioni autografe.

1. Le annotazioni al *De deo Socratis*

Gli studi apuleiani di Cusano iniziarono sui primi fogli del codice di Bruxelles con la lettura del cosiddetto *Prologo* al *De deo Socratis*[18]. Si tratta di una sorta di prefazione composta da un insieme di cinque estratti provenienti dall'antologia dei *Florida*, una raccolta di passi tratti da conferenze e letture pubbliche tenute in Africa da Apuleio[19]. I frammenti del prologo privilegiati dalla penna di Cusano sono due: il primo riferisce l'opinione di Aristippo sulla filosofia (*marg.* 1), il secondo racconta la favola di Esopo del corvo e la volpe (*marg.* 2). Questa

---

dicembre 1990), Roma 1993, pp. 103–115; J. Hankins, *Plato in the Italian Renaissance*, Leiden – New York – Köln 1994, II, p. 825.

[17] Per una descrizione dei due codici, cf. Van de Vyver, *Die Handschriften aus dem Besitz des Nikolaus von Kues in der Königlichen Bibliothek zu Brüssel*, "MFCG", 7 (1969), pp. 142–145 (144) e J. Marx, *Verzeichnis der Handschriften-Sammlung des Hospitals zu Cues*, Trier 1905, p. 160. Sulla paternità apuleiana del Περὶ ἑρμηνείας, cf. D. Londey-C. Johanson, *The Logic of Apuleius. Including a Complete Latin Text and English Translation of the Peri Hermeneias of Apuleius of Madaura*, Leiden – New York – København – Köln 1987, pp. 11–19.

[18] Cf. F. Regen, *Il De deo Socratis di Apuleio*, "Maia", 51, 3 (1999), pp. 429–456; Id., *Il De deo Socratis di Apuleio (II parte)*, "Maia", 52, 1 (2000), pp. 41–66. Sulla tradizione del testo, cf. F. Regen, *Der Codex Laurentianus pluteus 51,9. Ein bisher vernachlässigter Textzeuge der Apuleischen Schrift De deo Socratis*, Nachrichten der Akademie der Wissenschaften. Philologisch-historische Klasse 5, Göttingen 1985, pp. 197–238.

[19] Sulla questione del prologo, cf. D. Tomasco, *Ancora sul Prologo del De deo Socratis di Apuleio*, in E. Flores et al. (edd.), Miscellanea di studi in onore di Armando Salvatore (Pubblicazioni del Dipartimento di Filologia classica dell'Università degli studi di Napoli Federico II, 7), Napoli 1992, pp. 173–195; Regen, *Il De deo Socratis di Apuleio*, pp. 432–438.

prefenza di Cusano è sintomatica della particolare natura del suo interesse per i classici. Le opere degli antichi costituiscono, infatti, per lui non tanto l'oggetto di una ricerca meramente filologica o letteraria, quanto piuttosto la sede di un'esperienza più propriamente dottrinale. Lungo tutto il testo del *De deo Socratis*, che è ricco di citazioni tratte dagli autori classici, Cusano appare, infatti, principalmente attratto dal poema filosofico *De rerum natura* di Lucrezio, attestando il primo interesse per una fonte che solo tardivamente, nel *De ludo globi* (1463), ispirerà la speculazione sull'atomismo metafisico[20]. Ma è indubbiamente a Platone che egli rivolge la maggiore attenzione. L'incipit del *De deo Socratis* si apre in un modo a lui congeniale: « Plato omnem naturam rerum, quod eius ad animalia praecipua pertineat, trifariam divisit censuitque esse summos deos. Summum, medium et infimum fac intellegas non modo loci disclusione verum etiam naturae dignitate »[21]. I termini *summum*, *medium* e *infimum* scandiscono, secondo Apuleio, l'interna tripartizione della *natura rerum* di Platone nella gerarchia corrispondente di Dio, demoni e uomini[22]. Tale concezione triadica dell'essere, che negli scritti di Apuleio si articola su piani diversi, non potè non conoscere il favore di Cusano. Egli, infatti, sin dal suo primo scritto integrale pervenutoci, il sermone *In principio erat Verbum* (1430), aveva elaborato, sulla scia di Raimondo Lullo, la dottrina dei *tria correlativa* come nucleo razionale della propria metafisica terna-

---

[20] Sull'atomismo metafisico e la fortuna di Lucrezio nel Medioevo, cf. H.G. Senger, *Ludus sapientiae. Studien zum Werk und zur Wirkungsgeschichte des Nikolaus von Kues* (Studien und Texte zur Geistesgeschichte des Mittelalters 78), Leiden – Boston – Köln 2002, pp. 117–140 e p. 118, n. 3.

[21] *De deo Socr.* I, 115–116, ed. Moreschini, p. 7, 1–4.

[22] Tale divisione trifaria della natura non è rinvenibile in Platone, ma solo nei suoi discepoli, cf. Beaujeu, *Commentaire*, p. 203. Gli studi di Stephen Gersh, *Middle Platonism and Neoplatonism*, pp. 227–264, hanno individuato nel tessuto connettivo della concezione filosofica apuleiana una serie di schemi triadici, che identificano una struttura triadica dell'essere; cf. Regen, *Il De deo Socratis di Apuleio*, pp. 439–441.

ria[23]. E proprio sul tema della scansione ternaria dell'essere il *De deo Socratis* continua, centrando la propria attenzione sulla sfera divina del creato, che è organizzata triadicamente secondo la gerarchia di dio, dei invisibili e dei visibili[24]. In linea con la tradizionale dottrina platonica, Apuleio distingue una prima categoria di dèi – gli astri, il sole e la luna, esseri viventi percepibili mediante la vista fisica (*marg.* 6–7) – da un'altra più elevata classe di sublimi entità, identificate dai nomi delle dodici divinità del *pantheon* classico (*marg.* 8–9), la cui esistenza, invisibile all'occhio fisico, è contemplabile con lo sguardo della mente o è congetturabile sulla base delle funzioni svolte[25]. Questo luogo del *De deo Socratis* suona di estrema importanza, poiché individua i termini propri della gnoseologia di Cusano. Egli infatti annota con forza questo passo, dove alla conoscenza intellettuale degli dei, che « contemplamur acie mentis », Apuleio contrappone il processo razionale del sapere congetturale, per cui gli dei risultano « potentiae coniectatae animis » (*marg.* 10). Ma il punto culminante della teologia apuleiana è rappresentato qui dal concetto di origine platonica di un dio supremo *auctor omnium*, creatore della pluralità degli esseri, terreni e celesti, che unitamente all'idea medioplatonica di un dio unico radicalmente trascendente il dominio creaturale, garantisce continuità e unità alle diverse parti del tutto[26]. Di questa concezione teologica, compiutamente espressa nel capitolo III del *De deo Socratis*, Cusano sottolinea particolarmente l'assolutezza di dio *parens omnium deorum* (*marg.* 13–14)

---

[23] *Sermo I* 6, edd. R. Haubst-M. Bodewig-W. Krämer (h XVI.I), p. 7, 9–13: "In omni actione perfecta tria correlativa necessario reperiuntur, quoniam nihil in se ipsum agit, sed in agibile distinctum ab eo, et tertium surgit ex agente et agibili, quod est agere". Sullo sviluppo della metafisica trinitaria, cf. R. Haubst, *Das Bild des Einen und Dreieinen Gottes in der Welt nach Nikolaus von Kues*, Trier 1952.

[24] Cf. Gersh, *Middle Platonism and Neoplatonism*, pp. 231–233.

[25] Cf. Hijmans, *Apuleius, philosophus Platonicus*, pp. 440–442.

[26] *Tim.* 41a

e il tema della sua ineffabilità data la costitutiva inadeguatezza del linguaggio umano ad esprimerne la sovrabbondante maestà (*marg.* 15)[27]. Alla realtà del divino si contrappone nettamente quella umana. « Praecipuum animal », abitante della terra, l'uomo occupa, nell'universo platonico di Apuleio, una posizione inferiore. Dotato di ragione e parola, egli possiede un'anima immortale e un corpo mortale, ma è immortale come genere, mortale come individuo. Apuleio sintetizza qui, in un'unica frase, la propria concezione antropologica che, caratterizzata da accenti che richiamano i tratti del tradizionale pessimismo greco, non mancò di impressionare Agostino, Vincent de Beauvais e altri autori medievali: « Igitur homines ratione plaudentes, oratione pollentes, immortalibus animis, moribundis membris, levibus et anxiis mentibus, brutis et obnoxiis corporibus, dissimillimis moribus, similibus erroribus, pervicaci audacia, pertinaci spe, casso labore, fortuna caduca, singillatim mortales, cuncti<m> tamen universo genere perpetui, vicissim sufficienda proles mutabiles, volucri tempore, tarda sapientia, cita morte, querula vita, terras incolunt » (*marg.* 17)[28].

Se, dunque, continua Apuleio, la natura trascendente degli dei, dotati di sublimità, eternità e perfezione, fosse radicalmente separata dalla natura degli uomini, dotati di una vitalità fragile, caduca e di bassa miseria, la *natura rerum* risulterebbe spaccata in due, priva di interna connessione. Conseguenza immediata di questa scissione della realtà sarebbe, allora, il venir meno del fondamento di ogni pratica cultuale. Se fosse infatti vera la massima di Platone secondo cui *nullus deus miscetur hominibus*, come potrebbero avvenire gli scambi con gli dei? A chi, e come, gli uomini dovrebbero rivolgere le proprie richieste di aiuto nello svolgimento pratico della vita quotidiana (*marg.* 22–23)? In quel caso, più facilmente una pietra udrebbe l'uomo che Giove (*marg.*

---

[27] J. Beaujeu, *Les dieux d'Apulée*, "Revue de l'Histoire des Religions", 200, 1 (1983), pp. 385–406.

[28] *De deo Socr.* IV, 126–129, ed. Moreschini, p. 12, 5–12; cf. Regen, *Il De deo Socratis di Apuleio*, p. 448.

25). Ma Platone, una volta interrogato - immagina Apuleio - avrebbe risposto di non aver certo rimosso gli dei « a cura rerum humanarum, sed contrectatione sola » (*marg.* 19)[29]. Esistono, infatti, *quaedam divinae mediae potestates* deputate alla comunicazione interna tra le parti del reale[30]. Queste potenze divine, che Apuleio secondo un'antica terminologia chiama demoni, sono entità intermedie, in quanto abitano lo spazio mediano situato tra la regione somma dell'essere, dove risiedono gli dei, e la parte infima, dove vivono gli uomini. Alla medietà della posizione nel cosmo si allaccia, inoltre, la funzione di collegamento e interscambio tra le sfere, divina e umana, che rappresenta, come si è visto, il postulato necessario della continuità del reale[31]. Le funzioni mediatrici dei demoni risultano tanto più evidenti in quanto sono strettamente imparentate con tutte quelle pratiche che, espressioni della volontà degli dei, presuppongono il contatto con la sfera superiore dell'essere, come le rivelazioni religiose, la divinazione, la magia (*marg.* 26–29)[32]. La natura mediatrice dei demoni si esprime anche nella loro costituzione. Apuleio insegna, infatti, che l'elemento proprio dei demoni è l'aria (*marg.* 31–34). A guisa di nuvole i loro corpi non sono né troppo pesanti né troppo leggeri (*marg.* 35–38), ma rispetto alle nuvole sono senz'altro più sottili, trasparenti e luminosi, occupando la regione dove splende la luce. Poiché i loro corpi non possiedono solidità terrena, essi risultano normalmente invisibili agli uomini in quanto i raggi della vista li attraversano senza incontrare resistenza che possa

---

[29] *De deo Socr.* VI, 132, ed. Moreschini, p. 15, 9–10.

[30] P. Habermehl, *Quaedam divinae mediae potestates. Demonology in Apuleius' De deo Socratis*, in H. Hoffmann-M. Zimmermann (edd.), Groningen Colloquia on the Novel, Groningen 1996, VII, pp. 115–142.

[31] Apuleio si riallaccia qui al famoso brano di Platone *Symp.* 202d–203a, pietra angolare di tutta la demonologia successiva, cf. Habermehl, *Quaedam divinae mediae potestates*, p. 120, ma secondo Regen se ne distanzia proprio perché concepisce i demoni come entità *natura mediae* e come *potestates divorum*, cf. F. Regen, *Apuleius philosophus Platonicus. Untersuchungen zur Apologie (De Magia) und zu De Mundo* (Untersuchungen zur antiken Literatur und Geschichte 10), Berlin – New York 1971, pp. 10–22.

[32] Cf. C. Moreschini, *Divinazione e demonologia in Plutarco e Apuleio*, "Augustinianum", 29 (1989), pp. 269–280.

identificarli (*marg.* 39–40)[33]. Eccezionalmente si rendono visibili per volere divino (*divinitus*), come nel caso dell'omerica Minerva che si lasciò percepire, tra i Greci radunati, solo da Achille (*marg.* 41)[34]. A questo genere di demoni si ispirano anche i poeti per rappresentare le forze divine che ora ostacolano ora amano gli uomini (*marg.* 42). Ma diversamente dagli dei, che sono dotati di *aeterna aequabilitas* e impassibilità, i demoni non sono liberi da passioni dell'animo (*marg.* 43–44). Questo tratto personale della loro natura mentre, da un lato, ne illustra la caratteristica *medietas* tra l'umano e il divino (*marg.* 45)[35], dall'altro, spiega la varietà dei culti religiosi. Come esistono, infatti, diverse personalità umane, così differenti tipi di demoni sono alla base delle molteplici pratiche cultuali. La varietà dei riti risulta, pertanto, spiegata con la pluralità dei demoni, che non si allietano o adirano tutti allo stesso modo, ma reagiscono diversamente innanzi alle pratiche religiose, ciascuno secondo la propria 'personalità' (*marg.* 47–48). La demonologia apuleiana fornisce, così, non solo un'eccellente giustificazione del tradizionale politeismo antico[36], ma anche una legittimazione del pluralismo religioso. Ogni rito particolare, infatti, oltre le singole peculiarità specifiche, adombra la venerazione dell'unico principio universale, padre di tutti gli dei. Da ciò discende che i vari riti, risultando tutti essenzialmente connessi con il dio unico, sono tutti ugualmente degni di fede, « unde etiam religionum diversis observationibus et sacrorum variis suppliciis fides impertienda est »[37]. La tolleranza religiosa appare come una conseguenza necessaria di questa visione apuleiana, che sembra prefigurare una delle più notevoli idee di Cusano: « una religio in rituum varietate »[38].

---

[33] Habermehl, *Quaedam divinae mediae potestates*, p. 120–121.
[34] *De deo Socr.* XI, 145, ed. Moreschini, p. 21, 7–12; *Il.* 1,198, cf. Habermehl, *Quaedam divinae mediae potestates*, p. 127.
[35] *Symp.* 202e.
[36] Cf. Beaujeu, *Commentaire*, p. 128.
[37] *De deo Socr.* XIV, 148, ed. Moreschini, pp. 23, 16–24, 1.
[38] *De pace fidei* I 6, edd. R. Klibansky-H. Bascour (h VII), Hamburg 1959, p. 7, 9–11.

Con l'uomo i demoni stabiliscono un rapporto affatto speciale. L'anima immortale dell'uomo durante la sua «communio et copulatio» con il corpo, può *quodam significatu* essere considerata un demone[39]. Apuleio osserva che la persona felice (*beatus*), cioè colui che ha un animo perfettamente buono, è chiamata dai Greci εὐδαίμων[40]. Questo termine è tradotto da Apuleio con *Genius* per indicare l'anima individuale, che risulta per un verso immortale per un altro mortale, in quanto generata con il corpo (*marg.* 49–52). L'anima umana, inoltre, può essere considerata un demone *secundo significatu* in relazione all'esistenza *post mortem*. Dopo il distacco dal corpo, essa è chiamata Lèmure e, a seconda del suo buono o malvagio orientamento etico, viene distinta in Lare familiare, che svolge l'ufficio di vegliare sui discendenti, o in Larva, che spaventa gli uomini buoni e tormenta i malvagi, oppure, quando si ignora quale ufficio abbia avuto in sorte, è denominata dio Mane (*marg.* 53–57). A quest'ultima categoria di demoni appartengono anche le anime di quegli uomini che, per la loro giusta e saggia condotta, furono in vita considerati divini e onorati come dèi in templi, quali Anfiareo in Beozia, Mopso in Africa, Osiride in Egitto, Esculapio ovunque (*marg.* 58)[41].

Ma esistono demoni di dignità superiore, che non hanno avuto mai dimora in un corpo umano, come il Sonno e l'Amore. Da questa speciale classe provengono i demoni che sono assegnati nel corso della vita ai singoli uomini come *testes* e *custodes*, cioè invisibili testimoni e custodi di ogni nostra azione e pensiero (*marg.* 59). Secondo una dottrina che Apuleio riconduce a Platone e che Cusano ritrova in quasi tutte le scuole, ciascun uomo è assistito da un demone come da un guardiano (*marg.* 60). Questi lo conosce profondamente, risiedendo nei più intimi recessi della mente, e lo protegge, come una sorta di co-

---

[39] *Tim.* 89e–90d identifica nel δαίμων l'elemento divino dell'anima destinato a ritornare alla sua patria celeste, cf. Habermehl, *Quaedam divinae mediae potestates*, p. 123.

[40] La dottrina che l'anima umana nell'esistenza corporea sia un demone risale a Platone, *Tim.* 90d., cf. Beaujeu, *Commentaire*, p. 231.

[41] Cf. Hijmans, *Apuleius, philosophus Platonicus*, p. 444.

scienza interiore, allontanandolo dal male ed esortandolo al bene. È un *angelus bonus*, deduce Cusano – forse pensando alla dottrina cristiana dell'angelo custode[42] – che nelle incertezze si rivela guida profetica (*marg.* 61–62). Anche i saggi come Socrate, riprende Apuleio, quando la sapienza risulta insufficiente, ricorrono in molti casi a indovini e oracoli, introducendo così il problema del rapporto tra sapienza e divinazione, un tema nucleare del *De deo Socratis*, descritto nei termini della relazione tra le facoltà dell'uomo e dei demoni. Apuleio ritrae artisticamente la differenza tra sapienza e divinazione con immagini tratte dai poemi omerici. L'eloquente oratore Nestore di Pilo e lo scaltro guerriero Ulisse simboleggiano la facoltà razionale dell'uomo, saggiamente integrata da Omero con l'intervento superiore degli dèi espresso dall' azione divinatrice di Calcante e Cassandra (*marg.* 63–67). Così quando si presentavano problemi estranei alla filosofia, Socrate faceva ricorso al suo demone per avere non tanto sproni all'azione, poiché un uomo della sua perfezione non ne era privo, quanto piuttosto indicazioni sui freni da adottare contro i rischi celati nelle sue azioni (*marg.* 68). Ma il ricorso di Socrate al demone non aveva, spiega Apuleio, alcun rapporto con un impiego superstizioso di pratiche divinatorie. All'eccessiva superstizione di quelli che si lasciano guidare con oracoli e presagi dalle parole altrui, Apuleio contrappone nettamente il saggio costume di Socrate di appellarsi talora all'interiorità della coscienza, alla voce intima dell'animo, cioè al proprio demone custode. Questo demone non solo era ascoltato da Socrate, ma era anche visto attraverso il suo *signum divinum*. Se, come attesta Aristotele, i Pitagorici si meravigliavano di coloro che affermavano di non aver mai visto un demone, quasi fosse esperienza comune vederne, allora perché – domanda Apuleio – non poteva accadere ciò a Socrate, un uomo tanto simile a Dio in quanto perfettamente buono nell'animo (*marg.* 69–71)? Si rivela finalmente così, nella parte conclusiva del testo, l'intento soteriologico del *De deo Socratis*, che culmina nell'esortazione a seguire l'esempio di

---

[42] Sulla funzione dell'angelo in Cusano, cf. *infra* n. 148.

Socrate, il paradigma perfetto del saggio dedito allo studio della filosofia per somigliare alla divinità. L'amara constatazione di Apuleio sulla
generale incapacità degli uomini nel coltivare il proprio animo con
l'aiuto della ragione sembra rincalzata da un'annotazione marginale di
Cusano che domanda: « nota rogo istud si mente. attingere vis deum.
quid agendum » (*marg.* 73). Il testo indica poco dopo una risposta:
« daemonis cultum, qui cultus non aliud quam philosophiae sacramentum est »[43]. Contenuto di un tale *sacramentum* è per Apuleio il nucleo
dell'insegnamento etico di Platone. I valori essenziali per l'uomo non
risiedono negli aspetti materiali dell'esistenza, sempre mutevoli ed ef-
fimeri, ma nel possesso della virtù dell'animo, quel bene immutabile,
ricercato dai filosofi, che attua la realizzazione medio-platonica del
fine ultimo della vita, la ὁμοίωσις θεῷ[44]. Bisogna, infatti, giudicare
gli uomini – continua Apuleio – come i cavalli al mercato (*marg.* 76).
Come per cogliere la robustezza e la salute dei cavalli bisogna guardar-
li in sé, nudi, spogli delle loro bardature, così la bontà dell'uomo si os-
serverà, oltre i privilegi elargiti da genitori e fortuna, nella erudizione
e nella educazione alle arti, alla virtù, al bene. Simbolo classico di una
tale umanità è l'eroe Ulisse, elogiato per la sua virtù individuale, raf-
figurata da Omero nell'immagine di Minerva, allusione esplicita alla
prudenza del demone (*marg.* 77).

Il significato della natura e della funzione dei demoni in Apuleio è
inteso da Cusano molto più correttamente di Agostino. Mentre questi
ascrive ai demoni il ruolo, sancito dalla dogmatica cristiana, di entità
malvagie, Cusano, invece, ne sottolinea con Apuleio la loro ambiguità,
ritenendoli ora buoni ora malvagi, non in ragione del semplice nome,
ma a seconda della funzione svolta. In questo contesto si colloca l'unico

---

[43] *De deo Socr.* XXII, 170, ed. Moreschini, p. 35, 8–9.
[44] Concetto di derivazione platonica, *Teeteto* 176b, connesso al tema della conoscenza di Dio, che
　　Apuleio ritiene privilegio di pochi saggi realizzato con mezzi non razionali, *De deo Socr.* III,
　　124, ed. Moreschini, p. 11, 8–12: "vix sapientibus viris, cum se vigore animi, quantum licuit,
　　a corpore removerunt, intellectum huius dei, id quoque interdum, velut in artisssimis tenebris
　　rapidissimo coruscamine lumen candidum intermicare". *Fedone* 64e–66d. Hijmans, *Apuleius,
　　philosophus Platonicus*, pp. 465–467.

riferimento esplicito agli scritti filosofici di Apuleio rinvenibile negli scritti di Cusano[45], che è contenuto nell'*Apologia doctae ignorantiae* (1449), scritta in difesa della propria dottrina dagli attacchi di Johannes Wenck von Herrenberg[46]. La prima critica del teologo aristotelico si muove contro il concetto stesso di *docta ignorantia* a partire dalla considerazione delle parole del Salmo: « Vacate et videte, quoniam ego sum Deus »[47]. Per Wenck il passo biblico costituisce un'esortazione a trascendere la nuda visione della scienza – ritenuta una sorta di orgoglioso sapere proprio di demoni, che egli identifica con la *docta ignorantia* – per elevarsi a Dio attraverso la semplicità di una visione priva di ozio[48]. Ma Cusano ribatte che proprio questa è la concezione peculiare della *docta ignorantia*, fraintesa da Wenck. La teologia mistica, infatti, guida alla visione di Dio attraverso la liberazione e il silenzio, mentre la scienza, lontanissima da quella, si presenta come un esercizio confutatorio che cerca di imporsi verbalmente. La dotta ignoranza, che tende alla visione della mente, è non scienza. Scienza è, invece, la professione di Wenck, che ritiene di aver fatto una scoperta quando afferma che il termine greco demone significa chi è 'gonfiato dalla scienza'[49], ma probabilmente – aggiunge Cusano – « non vidit fortassis Platonem aut Apuleium De deo Socratis aut Philonem, qui ait Moysen eos appellare angelos, quos Graeci daemones, licet ibi kalodaemones et kakodaemones distinguantur » (*marg.* 60)[50].

[45] Un altro riferimento esplicito all'opera di Apuleio, che attesta però una conoscenza indiretta delle *Metamorfosi* mutuata dal *De civitate dei* di Agostino, è invece presente nel *Sermo II* 15, edd. R. Haubst-M. Bodewig-W. Krämer-H. Pauli (h XVI), Hamburg 1991, p. 30, 28–30 e 1–16.

[46] Per le critiche di Wenck, cf. K. Flasch, *Nikolaus von Kues. Geschichte einer Entwicklung*, Frankfurt am Main 1998, pp. 180–194 (182–184).

[47] *Sal.* 45,11.

[48] *Apologia doctae ignorantiae*, ed. R. Klibansky (h II), Leipzig 1932, pp. 7, 10 – 8, 11.

[49] Wenck recupera qui la critica di Agostino, *De civitate dei* IX 20, edd. B. Dombart-A. Kalb (CCSL 47), Turnhout 1955, p. 267, 8–12: "Est ergo in daemonibus scientia sine caritate, et ideo tam inflati, hoc est tam superbi sunt, ut honores divinos et religionis servitutem, quam vero Deo deberi sciunt, sibi satis egerint exhiberi, et quantum possunt et apud quos possunt adhuc agant".

[50] *Apologia doctae ignorantiae*, ed. R. Klibansky (h II), p. 8, 8–11.

Quest'ultima affermazione di Cusano ci rivela il senso preciso della sua lettura della demonologia apuleiana. Diversamente da Wenck che, in linea con la tradizionale concezione cristiana di ascendenza agostiniana, vede nei demoni semplicemente nature malvagie e riprovevoli, Cusano non stigmatizza *eo ipso* i demoni di Apuleio, ma ricorda, citando Filone, che i greci chiamavano demoni quelli che Mosè chiamava angeli, dimostrando di possedere, come pensatore cristiano, non solo la retta interpretazione di Apuleio, ma anche il senso critico per la contestualizzazione storica della demonologia antica oltre la lettura ideologica di Agostino.

2. Le annotazioni al *De Platone et eius dogmate* e al *De mundo*

L'interesse di Cusano per le dottrine filosofiche platoniche appare in una forma più immediata nel *De Platone et eius dogmate*. Il carattere asciutto e schematico del testo, che si presenta nella forma di un manuale scolastico, offre, infatti, una facile identificazione dei diversi nuclei dottrinali, che nella lettura medio-platonica di Apuleio appaiono miscelati a dottrine aristoteliche, pitagoriche o mistico-religiose[51]. Dopo l'esposizione introduttiva concernente la biografia di Platone, Apuleio promette di trattare sistematicamente « ad utilitatem hominum vivendique et intellegendi ac loquendi rationem » la dottrina del filosofo greco secondo la classica tripartizione di fisica, etica e logica. Ma il *De Platone* contiene in effetti solo le trattazioni della fisica e dell'etica, iniziando il libro I con la prima, la *philosophia naturalis* (*marg.* 1)[52]. « Initia rerum tria esse arbitratur Plato: deum et materiam rerumque formas ». Con questa asserzione metafisica si avvia l'esordio del testo, che riporta la dottrina comune alla tradizione platonica dei

---

[51] P. L. Donini, *Apuleio e il platonismo medio*, in A. Pennaccini et al. (edd.), Apuleio letterato, filosofo, mago, Bologna 1979, pp. 103–111; C. Mazzarelli, *Bibliografia medioplatonica. Parte seconda: Apuleio*, "Rivista di Filosofia neo-scolastica", 73, 3 (1981), pp. 557–595.

[52] Sulle tre parti della filosofia e l'assenza della logica, cf. Beaujeu, *Commentaire*, p. 254.

tria principia, cioè dio, la materia e le forme (*marg.* 2)[53]. La teologia 'platonica' di Apuleio si esprime qui in un modo più completo che altrove, e con rappresentazioni che potevano facilmente concordare con il neoplatonismo cristiano di Cusano[54]. Dio è, infatti, qualificato come incorporeo, unico, infinito, genitore e creatore di tutte le cose, dotato di felicità e pienezza, dispensatore di essere a tutte le cose. A queste qualificazioni segue la serie delle determinazioni negative che individuano il tema dell'ineffabilità, innominabilità e inconoscibilità di Dio, per cui « è difficile trovare Dio e, una volta trovato, è impossibile comunicarlo ai molti » (*marg.* 3–4)[55]. Il discorso teologico trapassa nella considerazione della dottrina della materia[56]. Il principio metafisico della materia è platonicamente inteso da Apuleio come una sorta di sostrato soggiacente agli enti fisici, increato e indistruttibile, capace di ricevere qualunque specificazione formale per l'azione dell'artefice divino (*marg.* 5–6)[57]. Ma esso si presenta dotato del carattere, assente nel *Timeo* e raramente evocato nella tradizione, di un certo tipo di infinità[58]. Questa concezione apuleiana della materia come « interminata magnitudo » sembra, infatti, richiamarsi direttamente al libro II del *De docta ignorantia*, dove all'infinità di Dio, intesa in maniera negativa,

---

[53] Cf. Gersh, *Middle Platonism and Neoplatonism*, pp. 237–238.

[54] Per una visione sinottica delle qualificazioni di Dio nelle opere apuleiane, cf. Hijmans, *Apuleius, philosophus Platonicus*, pp. 437–438.

[55] *De Plat.* I 189–191, ed. Moreschini, p. 92, 8–15: "sed haec de deo sentit, quod sit incorporeus. Is unus, ait, ἀπερίμετρος, genitor rerumque omnium extructor, beatus et beatificus, optimus, nihil indigens, ipse conferens cuncta. Quem quidem caelestem pronuntiat, indictum, innominabilem et, ut ait ipse, ἀόρατον, ἀδάμαστον, cuius naturam invenire difficile est, si inventa sit, in multos eam enuntiari non posse. Platonis haec verba sunt: θεὸν εὑρεῖν τε ἔργον εὑρόντα τε εἰς πολλοὺς ἐκφέρειν ἀδύνατον". *Tim.* 28c, cf. Festugière, *La révélation d'Hermès Trismégiste, IV. Le Dieu inconnu et la gnose*, Paris 1954, pp. 106–109.

[56] D. Thiel, *Chóra, locus, materia. Die Rezeption des platonischen Timaios (48a–53c) durch Nikolaus von Kues*, in J. A. Aertsen-A. Speer (edd.), Raum und Raumvorstellungen im Mittelalter (Miscellanea Mediaevalia 25), Berlin – New York 1998, pp. 52–73; Führer, *Cusanus Platonicus. References to the Term 'Platonici' in Nicholas of Cusa*, p. 348 (Appendices 4 e 5).

[57] *Tim.* 48e–49a.

[58] Cf. Beaujeu, *Commentaire*, p. 258 (192, 1).

cioè come negazione di ogni tipo di limite, si contrappone l'infinità
dell'universo o materia, intesa in maniera privativa, cioè espressa
come 'interminatezza' della propria natura (*marg.* 7)[59]. La materia
platonica è, secondo Apuleio, né solo corporea né solo incorporea,
poiché da un lato nessun corpo è privo di una qualunque forma e,
dall'altro lato, niente di ciò che è incorporeo sembra essere privo di un
corpo quando lo si considera virtualmente e razionalmente (*marg.* 8).
Questa stretta connessione tra elemento corporeo e formale concorda
con l'idea di ascendenza aristotelica secondo cui la materia non esiste
se non limitata o determinata da una precisa forma particolare. Si tratta
di una concezione condivisa da Cusano che, tuttavia, vede esistere la
materia come possibilità assoluta d'essere solo in Dio, dove si identifica con la sua potenza creatrice[60]. Le forme o idee sono descritte da
Apuleio nei termini ortodossi di elementi eterni, incorporei, esemplari
di tutte le cose (*marg.* 11–12)[61], come anche il rapporto tra le forme di
tutti i viventi e i singoli enti sensibili risulta espresso con il classico
esempio delle forme di cera: « nota sicud cera rapit in se figuram sigilli
– annota Cusano – sic omnium gignencium forme ab ideis exemplan-
tur » (*marg.* 13). Il testo continua con la dottrina medioplatonica delle
due essenze o sostanze[62]. Le prime essenze sono eterne e visibili con
l'intelletto, le seconde corruttibili e visibili con i sensi. Le prime costituiscono la sostanza del primo dio, della mente, delle forme delle cose
e dell'anima; le seconde compongono tutto quanto è atto a ricevere una
forma nel dominio fluttuante del mondo sensibile (*marg.* 14–16)[63].

Dalla considerazione degli *initia rerum*, i principi originari delle
cose, si passa alla analisi cosmologica della formazione del mondo a

---

[59] Sulla distinzione tra infinito negativo di Dio e infinito privativo delle creature, cf. Tommaso
d'Aquino, *Quaestio disputata de potentia* I a. 2 (*respondeo*).

[60] *De doct. ign.* II, 8, 136, edd. P. Wilpert-H.G. Senger (PhB 264b), Hamburg 1999, p. 60, 1–14.

[61] Cf. Beaujeu, *Commentaire*, p. 259.

[62] Cf. Beaujeu, *Commentaire*, p. 260.

[63] Führer, *Cusanus Platonicus. References to the Term 'Platonici' in Nicholas of Cusa*, pp.
348–349 (Appendices 7–11, 13, 30).

partire dai quattro elementi. Dal principio primo della materia trag-
gono origine gli elementi del fuoco, dell'acqua, della terra e dell'aria,
che sono condotti dal confuso caos originario alla composizione ordinata del mondo mediante l'azione aritmetico-geometrica del dio edificatore (*marg.* 18). L'origine degli elementi riassume fedelmente un
noto brano del *Timeo*, su cui sembra indugiare l'interesse geometrico
di Cusano. Il triangolo è la figura geometrica prima da cui nascono le
figure dei quattro elementi. Dalla composizione di triangoli, infatti, si
formano le figure del tetraedro (piramide), ottaedro, icosaedro e cubo
che, in rapporto alla decrescente capacità di movimento, danno luogo
rispettivamente a fuoco, aria, acqua e terra (*marg.* 19–21)[64]. Questa
dottrina geometrico-cosmologica termina con l'indicazione di Apuleio
che oltre i triangoli esistono anche altri principi (*alia initia*) « quae deo
nota sint vel ei qui sit diis amicus » (*marg.* 22)[65].

Uno di questi riguarda forse il concetto di dio come sfera, che è
sotteso allo svolgimento del discorso seguente sul mondo[66]. Il rapporto
armonico e la stretta connessione tra i diversi elementi determina l'unità
e la perpetuità del mondo (*marg.* 23). Questo possiede « perpetua iu-
ventus et inviolata valitudo » in ragione della sua struttura composita
e ordinata, che lo rende inoffendibile ai fattori contrari e ostili alla sua
natura e organizzazione (*marg.* 24), ed è stato provvisto da Dio di una
forma sferica in quanto sua similitudine e di una rotazione circolare

---

[64] *Tim.* 55e–56b; Beaujeu, *Commentaire*, p. 261. Floridus (Parisiis 1688, pp. 575–576) critica
la traduzione apuleiana dei termini platonici dei solidi: "Errat Apuleius et Platonis ὀκτάεδρον
male interpretatur formam octangulam. Octaedrum enim sex tantum habet angulos solidos ex
quatuor quemque angulis planis constantes, cum octo habeat superficies triamgulares aequilateras. Non felicius εἰκοσάεδρον interpretatur vigintiangulam. Icosaedrum enim viginti habet
superficies triangulares aequilateras, sed duodecim tantum angulos solidos, ex quinque planis
angulis quemque constantes", cf. C. Moreschini, *Studi sul « De dogmate Platonis » di Apuleio*,
Pisa 1966, p. 45.

[65] « Alia initia » è una traduzione equivoca di *Tim.* 53d. Così Moreschini, *Studi sul « De dogmate
Platonis » di Apuleio*, p. 44, n. 92: "τὰς δ ᾽ἔτι τούτων ἀρχάς (cioè i principi di questi principi
generali, vale a dire i triangoli), è tradotto da Apuleio con « alia initia », che possono essere
altri principi oltre ai triangoli". Cf. Beaujeu, *Commentaire*, p. 261.

[66] Sul concetto di Dio come sfera, cf. *De doct. ign.* I, 15, 41, edd. Wilpert-Senger (PhB 264b), p.
56, 1–10.

dotata di sette tipi di movimento (*marg.* 25). Così in quanto similitudine divina, il mondo è per Platone sempre esistito, ma il fatto che sia composto di cose soggette alla nascita genera l'impressione che pure esso sia nato. Questa è la ragione, secondo Apuleio, per cui Platone dice talora che il mondo è senza inizio talora che lo ha (*marg.* 26)[67]. L'eternità del mondo è, dunque, determinata dalla sua similitudine con dio, la causa della sua nascita (*marg.* 27). Il mondo è, inoltre, dotato di un'anima incorporea e immortale, animata da un movimento eterno, che al servizio del dio architetto ha il potere di conferire movimento e vita a tutti gli esseri. La sostanza dell'anima è composta di numeri e rapporti aritmetici che ne identificano la divina armonia. Il mondo risulta perciò mosso musicalmente (*marg.* 30–31)[68]. All'osservazione conoscitiva la realtà delle cose del mondo si dimostra di duplice natura: una è visibile con i sensi, l'altra afferrabile con la mente; la prima è corruttibile e contingente, la seconda incorruttibile e costante (*marg.* 32). Di questi due aspetti del reale – intelligibile e sensibile – il tempo è l'elemento che ne ricompone la cesura. Esso viene definito da Apuleio secondo la classica definizione timaica come immagine mobile dell'eterno[69]. Esso è mobile, mentre l'eterno è fisso e immobile. Ma il tempo può ritornare nella natura dell'eterno per volontà del dio artigiano (*marg.* 34–35). La sua scansione segue il ritmo circolare degli astri: il moto lunare dà la misura di un mese e quello del sole quella di un anno. Questi moti, insieme a quelli degli altri pianeti, misurano un arco di tempo più ampio, di cui normalmente gli uomini non considerano l'effetto, che Platone chiama il grande anno (*marg.* 37)[70].

La continuità del reale si articola in una differenziata gerarchia cosmica di esseri, che discende dai più elevati corpi celesti (Saturno, Giove) e giunge fino alla Terra (*marg.* 38). L'animazione universale di

[67] Cf. Moreschini, *Studi sul « De dogmate Platonis »*, p. 47.
[68] Sull'impiego di aritmetica, geometria e musica nella composizione divina del mondo, cf. *De doct. ign.* II, 13, 175, edd. Wilpert-Senger (264b), p. 108, 10–28.
[69] *Tim.* 37a. Sul tema del tempo, cf. Hijmans, *Apuleius, philosophus Platonicus*, p. 448.
[70] *Tim.* 39d 2–7; cf. Beaujeu, *Commentaire*, p. 267.

questi esseri degrada localmente nel seguente ordine degli elementi: il fuoco (i corpi celesti), l'aria (gli esseri intermedi come i demoni) e la composizione di acqua e terra (esseri che vivono sulla terra o sotto terra). A questa tripartizione dei viventi corrispondono tre specie di divinità (*marg.* 42). La prima specie di dèi è costituita dall'unico e solo dio supremo, trascendente, padre e architetto divino del mondo. La seconda specie è rappresentata dagli astri. La terza da entità intermedie (*medioximos*) tra gli dèi superiori e gli uomini, cioè i demoni (*marg.* 43). La connessione ed armonia tra tutti gli esseri è realizzata dalla cooperazione della provvidenza e del fato[71]. La provvidenza è la volontà di dio (*divina sententia*), mentre il fato è la legge (*divina lex*) che porta a compimento i progetti e i pensieri divini (*marg.* 44–46). In rapporto alle tre diverse classi divine esistono tre diversi generi di provvidenza[72]. Il primo genere, il più elevato, risulta una diretta espressione del dio supremo, padre di tutti gli dèi; il secondo e il terzo genere è degli dei inferiori e dei demoni. Il fato, infine, non ammette un'assoluta necessità delle cause come nella tradizionale dottrina stoica, ma contempla la possibilità del libero arbitrio. « Nec sane omnia referenda esse ad vim fati putat (*scil.* Plato), sed esse aliquid in nobis et in fortuna esse non nihil »[73]. I progetti dell'uomo possono, dunque, essere ora favoriti ora ostacolati dal fato, che determina la *felicitas* e la *infelicitas* di quanto l'uomo compie liberamente (*marg.* 49). Alla responsabilità dell'uomo bisogna perciò ricondurre la causa del male, poiché il fato in quanto legge divina è platonicamente in essenza buono[74]. La parte finale del libro I del *De Platone et eius dogmate* ha per oggetto l'antropologia platonica. Nella costituzione dell'uomo l'anima è signora del corpo (*marg.* 50), ed è composta da tre parti: razionale, irrazionale e concupiscibile, le cui rispettive facoltà si arti-

---

[71] Su provvidenza e fato, cf. Hijmans, *Apuleius, philosophus Platonicus*, pp. 444–447.

[72] *De Plat.* I, XII, 205–207, ed. Moreschini, pp. 101, 14–103, 5.

[73] Moreschini, *Studi sul « De dogmate Platonis » di Apuleio*, p. 60.

[74] Hijmans, *Apuleius, philosophus Platonicus*, p. 447.

colano nelle corrispettive sedi corporee di testa, cuore e addome (*marg.* 51)[75]. Il testo introduce a questo punto alcune note di una estesiologia filosofica. Poiché nella testa si raccolgono gli elementi più nobili della conoscenza, cioè il discernimento e i sensi, si può dire che l'uomo appare come riassunto in essa (*marg.* 52). Tra i sensi, che sono mediatori nella conoscenza tra l'intelligenza e gli oggetti sensibili, si distinguono per elezione la vista e l'udito (*marg.* 53). Dalla vista fluisce la bella e feconda fonte della filosofia (*marg.* 54), dall'udito l'uomo deriva la facoltà di acquisire saggezza e prudenza, nonché di rendersi armonico e musicale (*marg.* 55). L'organo della bocca è comune a tutti i viventi per soddisfare i bisogni dell'alimentazione, ma nell'uomo diviene lo strumento della retta ragione e del linguaggio poiché esprime la saggezza concepita nel cuore (*marg.* 56). Il testo continua con l'analisi anatomo-fisiologica delle diverse parti delle corpo e lo studio della funzione dell'alimentazione (*marg.* 57–58), culminando in alcune osservazioni di patologia[76]. Nella costituzione unitaria dell'uomo, l'eziologia dello stato di salute o patologico del corpo è determinata dall'alterazione funzionale del rapporto equilibrato tra le diverse parti dell'anima. Queste devono cooperare armonicamente tra loro secondo il rapporto gerarchico per cui la parte razionale deve governare sulle parti irrazionale e concupiscibile (*marg.* 59–60). Ogni alterazione di questo rapporto naturale comporta la malattia, che è innanzitutto uno squilibrio della mente. La malattia si configura, pertanto, come insensatezza (*stultitia*) e si distingue in due forme: l'incompetenza (*inperitia*) e la demenza (*insania*). La prima consiste in una orgogliosa ostentazione proveniente da una condizione di ignoranza, la seconda in uno stato difettoso del corpo derivante dalla compromissione degli organi della ragione presenti nella testa (*marg.* 61). La perfetta salute dell'uomo si realizza, dunque, come voleva Platone, quando l'anima e

---

[75] Cf. Hijmans, *Apuleius, philosophus Platonicus*, pp. 451–453.
[76] *Tim.* 87e; *Carm.* 156e. Hijmans, *Apuleius, philosophus Platonicus*, pp. 460–461. Sugli interessi medici di Cusano, cf. F.J. Kuntz, *Medizinisches bei Nikolaus von Kues*, "MFCG", 12 (1977), pp. 127–136.

il corpo si uniscono in modo equilibrato (*aequaliter copulantur*), cioè quando la forza dell'una non eccede quella dell'altro (*marg.* 62).

Il libro II del *De Platone et eius dogmate* tratta dell'etica. Le annotazioni di Cusano privilegiano la prima parte del libro dedicato agli aspetti teoretico-assiologici della morale, mentre non pongono attenzione alla parte seguente principalmente volta agli sviluppi teorici o alle loro applicazioni pratiche. I consigli di Apuleio per pervenire « ad beatam vitam » si aprono con la distinzione platonica tra beni superiori, divini, e beni inferiori, umani[77]. I beni divini sono distinti da Apuleio in primi, quelli che sono beni per sé stessi, e secondi, quelli che fluiscono dai primi traendo da questi la loro realtà. I primi beni sono il Dio sommo e il νοῦς (*marg.* 63). I secondi sono le virtù cardinali di *prudentia, iustitia, pudicitia, fortitudo,* enumerate, come osserva Cusano, secondo un ordine diverso rispetto a quello tradizionalmente enunciato (*marg.* 64–65)[78]. I beni umani sono, infine, quelli che si esprimono attraverso un insegnamento o prescrizioni specifiche. Essi sono mutevoli presso i diversi uomini perché connessi agli interessi corporei, mentre alla mente è collegato il bene vero e divino, la cui ricerca è intimata a tutti gli uomini (*marg.* 66–68). Di qui deriva l'importanza dell'educazione. Nessun uomo è, infatti, alla nascita assolutamente cattivo o buono. La sua natura è aperta a entrambe le possibilità etiche (*marg.* 69). Agli educatori viene così riservato il compito di esortare all'amore per la virtù, a riconoscere le azioni da imitare e quelle da evitare, quelle lodevoli e quelle esecrabili (*marg.* 70). L'indicazione morale del *De Platone*, tessuta qui con elementi aristotelici, non risiede, tuttavia, nella contrapposizione della virtù al vizio, ma in un sentiero mediano che si squaderna tra i poli contrappopposti della virtù perfetta e del puro vizio. L'agire del docile fanciullo e dell'uomo progrediente verso il bene e la bellezza si presentano, infatti, come un miscela bilanciata di virtù e vizio (*marg.* 71), che rivela una originale interpretazione del concetto aristotelico di

---

[77] *Leggi* I, 631b; *Rep.* VI, 506b e 517c.
[78] *Leggi* I, 631c, dove la giustizia viene al terzo posto.

μεσότης, che Cusano postilla così: « nota quomodo virtus est in medio » (*marg.* 72).

Gli studi apuleiani di Cusano nel ms. *Bruxellensis* si concludono, in fine, con la lettura del *De mundo*. Adattamento latino di Apuleio dello scritto greco Περὶ κόσμου, attribuito ad Aristotele, il *De mundo* costituisce un'introduzione alla conoscenza del mondo e di Dio[79]. Dall'iniziale trattazione cosmologica lo scritto passa nella seconda parte a considerare la natura e la funzione del creatore del mondo. Padre e salvatore del mondo, dio anima il creato imprimendo lo slancio del suo movimento. Tale movimento originale unitario non è però uniformemente accolto nelle diverse parti della creazione, che si muovono ciascuna secondo un moto particolare, a volte diverso e a volte contrario a quello delle altre. La concordia universale tra i diversi tipi di movimenti del mondo e il movimento originale di Dio è espressa da Apuleio con l'immagine della caduta da un ripiano inclinato di oggetti dotati di differenti figure. La comune direzione verso il basso nella caduta di una sfera, un cubo, un cilindro o qualunque altro tipo d'oggetto è realizzata secondo il movimento proprio di ciascuna figura. L'identità tra l'unità della direzione degli oggetti nella caduta e la differenza dei loro specifici movimenti accese nel filosofo della *coincidentia oppositorum* un'espressione di schietto consenso nella sua unica annotazione al *De mundo*: « nota exemplum bonum » (*marg.* 1).

---

[79] Cf. Festugière, *La révélation d'Hermès Trismégiste*, II, pp. 460–518; Regen, *Apuleius philosophus Platonicus. Untersuchungen zur Apologie (de Magia) und zu De Mundo* (cit. *supra* n. 31); Beaujeu, *Commentaire, III. De mundo*, p. 308; G. Reale-A.P. Bos, *Il trattato 'Sul cosmo per Alessandro' attribuito ad Aristotele*, Milano 1995.

II.

Nicola Cusano ed Ermete Trismegisto

Una chiara attestazione dell'ampiezza e originalità dell'universo culturale di Nicola Cusano è fornita dal suo interesse per la figura e le dottrine attribuite al leggendario saggio egiziano Ermete Trismegisto[80]. Stimato da Lattanzio come il venerabile custode del sacro mistero del Verbo divino, ma stigmatizzato da Agostino come l'esecrando fautore di una magia idolatrica, il sapiente egiziano conobbe una grande fortuna nel corso del Medio Evo[81]. I pensatori cristiani dell'Occidente latino – attraverso l'*Adversus quinque haereses* di Quodvultdeus, falsamente attribuito ad Agostino – accolsero generalmente la linea esegetica di Lattanzio, qualificando Ermete Trismegisto come un pro-

---

[80] Sull'ermetismo in Cusano, cf. E. Vansteenberghe, *Le cardinal Nicolas de Cues (1401–1464). L'action – la pensée*, Paris 1920, pp. 434–436; G. Saitta, *Nicolò Cusano e l'umanesimo italiano*, Bologna 1957, pp. 75–93; E. Garin, *L'Ermetismo del Rinascimento*, Roma 1988, pp. 38–40; A. Minazzoli, *L'héritage du Corpus Hermétique dans la philosophie de Nicolas de Cues*, "La Ciudad de Dios", 205, 1 (1992), pp. 101–122; G. Federici Vescovini, *Temi ermetico-neoplatonici de La dotta ignoranza di Nicola Cusano*, in P. Prini (ed.), *Il neoplatonismo nel Rinascimento* (Atti del Convegno internazionale di studio di Roma-Firenze 12–15 dicembre 1990), Roma 1993, pp. 117–132; Ead., *Nicola Cusano e la simbologia ermetica medievale*, in E. Mirri-F.Valori (edd.), *La ricerca di Dio* (Quaderni dell'Istituto di Filosofia dell'Università di Perugia 14), Perugia 1999, pp. 35–52; K. Bormann, *Nikolaus von Kues: « Der Mensch als zweiter Gott »* (Trierer Cusanus Lecture 5), Trier 1999; S. Toussaint, *Mystische Geometrie und Hermetismus in der Renaissance: Ficinus und Cusanus*, "Perspektiven der Philosophie", 26 (2000), pp. 339–356; P. Arfé, *Alberto Magno e Nicola Cusano interpreti dell'Asclepius*, in M. Thurner (ed.), Nicolaus Cusanus zwischen Deutschland und Italien, Berlin 2003, pp. 129–151; Id., *Ermete Trismegisto e Nicola Cusano*, in P. Lucentini-I. Parri-V. Perrone Compagni (edd.), La tradizione ermetica dal mondo tardo-antico all'Umanesimo/Hermetism from Late Antiquity to Humanism (Atti del Convegno internazionale di studi, Napoli, 20–24 novembre 2001),Turnhout 2003, pp. 223–243; M. Thurner, *Explication der Welt und mystische Verinnerlichung. Die hermetische Definition des Menschen als 'secundus deus' bei Cusanus*, ibid. pp. 245–260.

[81] Una bibliografia selezionata sulla tradizione ermetica mediolatina si trova in calce a Lucentini-Parri-Perrone Compagni, *La tradizione ermetica dal mondo tardo-antico all'Umanesimo*, cit. *supra*.

feta pagano della rivelazione cristiana[82]. Nel solco di questa tradizione esegetica si svolse l'interesse ermetico di Cusano che, inizialmente, si formò attraverso la lettura delle opere dei Padri, dei maestri di Chartres, di Alberto Magno, Bertoldo di Moosburg, Thomas Bradwardine e altri grandi autori medievali. Sulla scorta di queste letture, la figura di Ermete Trismegisto, ritenuta degna di grande rispetto per antichità e saggezza, è costantemente delineata nell'opera di Cusano con tratti luminosi, ed è talora annoverata con le più alte *auctoritates* della verità cristiana. Particolarmente, il linguaggio di Ermete esprime, per Cusano, una sapienza consuonante con la fonte privilegiata della propria riflessione filosofica e teologica, Dionigi l'Areopagita. L'indagine *de nominibus Dei*, principale direttrice dell'itinerario speculativo di Cusano, trova, infatti, un'adeguata formulazione proprio attraverso le parole del Trismegisto[83]. Ma nulla vale a lumeggiare meglio le linee fondamentali dell'esegesi ermetica di Cusano quanto la considerazione del suo rapporto con le precedenti critiche cristiane contro il sapere di Ermete. Nella lettura concordista del filosofo – naturalmente volta a rintracciare, oltre le molteplici differenze, il fondamento unico di ogni conoscenza – le accuse scagliate precedentemente contro il vate egiziano da parte cristiana non solo non trovano credito, ma appaiono di fatto neutralizzate. Anche la magia ermetica, infatti – che aveva stimolato la severa censura di Agostino e, successivamente, il veemente attacco di Guglielmo d'Alvernia – quando non è considerata una pratica superstiziosa, ispirata dai demoni malvagi, costituisce un sapere fondato su cause naturali e razionali che presenta dei rischi per il cristiano solo in quanto racchiude dei segreti naturali nei quali *dia-*

---

[82] P. Siniscalco, *Ermete Trismegisto, profeta pagano della rivelazione cristiana. La fortuna di un passo ermetico (Asclepius 8) nell'interpretazione di scrittori cristiani*, "Atti della Accademia delle Scienze di Torino, II. Classe di Scienze morali, Storiche e Filologiche", 101 (1966–67), pp. 83–11.

[83] Per l'evoluzione storica degli interessi ermetici di Cusano in rapporto alla speculazione sui nomi divini, cf. Arfé, *The Annotations of Nicolaus Cusanus and Giovanni Andrea Bussi*, pp. 36–42.

bolus saepe se immiscet ad decipiendum[84]. Inoltre, l'insegnamento di Ermete sull'autogenerazione di Dio, αὐτοπάτωρ e αὐτομήτωρ, maschio e femmina insieme, che anche per Lattanzio costituiva un punto di forte dissenso in quanto adombrava la dottrina dell'androginia divina, trova invece nella speculazione teologica di Cusano una naturale accoglienza, coincidendo nell'essenza di Dio gli opposti di maschile e femminile[85]. In effetti, nuclei fondamentali della filosofia di Cusano sembrano confermati da una conoscenza della tradizione ermetica, fondata su una lettura diretta dei suoi testi. Dell'ampia letteratura in lingua latina che in epoca medievale circolava sotto il nome di Ermete Trismegisto, l'opera di Cusano dimostra la conoscenza dei due più importanti testi filosofici, l'*Asclepius* e il *Liber XXIV philosophorum*. Ma solo all'*Asclepius* Cusano attribuì il valore di testimone ufficiale della tradizione ermetica, poiché il *Liber XXIV philosophorum* non fu mai da lui direttamente riferito all'Egiziano, forse perché influenzato da Alberto Magno, che ne aveva rifiutato l'origine ermetica, attribuendolo ad Alano di Lilla[86]. L'interesse ermetico di Cusano risulta attestato anche dalla sua biblioteca, che conserva almeno tre scritti propriamente ermetici[87]: il *Liber Hermetis*, i *Verba Hermetis* e l'*Asclepius*. Il filosofo ebbe evidentemente interesse e conoscenza dell'aspetto pratico-operativo della sapienza ermetica, costituendo i primi due testi delle trat-

---

[84] *Sermo II* 26, edd. R. Haubst-M. Bodewig-W. Krämer-H. Pauli (h XVI), p. 37, 21–22.
[85] *Div. inst.* IV, 8, 5; *Ascl.* 20; *De doct. ign.* I 25 83, edd. Wilpert-Senger (PhB 264a), p. 104, 16–20.
[86] P. Lucentini, *Il libro dei ventiquattro filosofi*, Milano 1999, pp. 117–118.
[87] L'ermeticità del testo è stabilita in base al criterio formale dell'attribuzione letteraria ad Ermete, cf. P. Lucentini, *L'edizione critica dei testi ermetici latini*, in V. Placella-S. Martelli, I moderni ausili all'Ecdotica (Atti del Convegno internazionale di studi Fisciano-Vietri sul Mare-Napoli 27–31 ottobre 1990), Napoli 1994, pp. 265–285 (269).

tazioni di carattere alchemico e astrologico[88], ma la sua preferenza fu principalmente volta all'*Asclepius*, che solo riporta sue annotazioni nell'attuale codice *Bruxellensis* 10054–56. Questo commento di Cusano non ha solo un significato speciale perché rende comprensibile la sua opera, ma anche uno più ampio perché costituisce sul piano della storia uno degli ultimi documenti dell'ermetismo medievale. Un anno prima della morte di Cusano, a Firenze nel 1463, Marsilio Ficino effettuerà la prima versione latina del *Corpus Hermeticum*, inaugurando la stagione moderna dell'ermetismo rinascimentale[89].

Le annotazioni all'*Asclepius*

a. Versione latina dell'originale greco perduto Λόγος τέλειος, l'*Asclepius* è uno scritto sulla rivelazione sacra di Ermete Trismegisto dedicata all'amato discepolo Asclepius[90]. Lo stile della comunicazio-

---

[88] Il *Liber Hermetis* corrisponde al testo alchemico *Septem tractatus* nel ms. Kues(-Bernkastel), Bibliothek des St. Nikolaus Hospitals, cod. Cus. 201, ff. 88v–93r; i *Verba Hermetis* sono un florilegio astrologico tratto dal *Centiloquium* ermetico, cod. Cus. 208, ff. 151r–v. Cf. Marx, *Verzeichnis der Handschriften-Sammlung des Hospitals zu Cues*, pp. 187, 198. Sull'ermetismo operativo in Cusano, cf. P. Arfé, *Ermete Trismegisto e Nicola Cusano*, pp. 229–233.

[89] P.O. Kristeller, *Marsilio Ficino e Ludovico Lazzarelli. Contributo alle idee ermetiche nel Rinascimento*, "Annali della Regia Scuola Normale Superiore di Pisa", 2, 7 (1938), pp. 237–267 (238–240); S. Gentile, *Ficino ed Ermete*, in Marsilio Ficino e il ritorno di Ermete Trismegisto. Catalogo di mostra (Biblioteca Medicea Laurenziana, 2 ottobre 1999 – 8 gennaio 2000), Firenze 1999, pp. 19–26.

[90] Sull'*Asclepius*, cf. C. Moreschini, *Dall'Asclepius al Crater Hermetis. Studi sull'ermetismo latino tardo-antico e rinascimentale*, Pisa 1985, pp. 71–119; Id., *Storia dell'ermetismo cristiano*, Brescia 2000, pp. 105–197; Gersh, *Middle Platonism and Neoplatonism. The Latin Tradition*, I, pp. 329–385. Il testo dell'*Asclepius* ci è pervenuto attraverso la tradizione manoscritta delle opere filosofiche di Apuleio. Il motivo di una tale inserzione è stato individuato dall'intera tradizione antica, medievale e moderna nella paternità apuleiana della versione latina (cf. la prefazione di Bussi, *supra*, n. 1). La storiografia moderna ha posto in dubbio tale attribuzione facendo cadere la datazione della versione dell'*Asclepius* tra il termine *post quem* delle *Divinae institutiones* di Lattanzio (304–313), che riportano frammenti dell'originale greco perduto con una versione indipendente da quella da noi conosciuta, opera forse del medesimo Lattanzio, e il termine *ante quem* del *De civitate dei* di Agostino (libro VIII: 415–417), che conosce la versione attestata dalla tradizione manoscritta (cf. Beaujeu, *Introduction*, p. viii). A sostegno

ne si svolge nei toni di un dialogo solenne. Cusano fu subito colpito dal clima di profonda devozione religiosa che pervade le dottrine dell'Egiziano (*marg.* 1). L'intima disposizione dell'animo richiesta al discepolo dell'ermetismo si accordava facilmente con il proprio orientamento mistico, che era in contrasto con il procedimento didattico della teologia scolastica coeva. Per Cusano, non era infatti lo scomposto movimento della disputa dialettica dei moderni il corretto atteggiamento dell'animo da assumere per apprendere le supreme verità teologiche, ma l'atmosfera di calma interiore degli antichi[91]. Ermete Trismegisto insegnava ai discepoli la rigorosa osservanza di un intimo raccoglimento di fronte al suo *religiosissimus sermo*, secondo un'esigenza imposta dal carattere proprio della sua sapienza, poiché dotata di una speciale inafferrabilità alle ordinarie facoltà di conoscenza (*marg.* 6, 35)[92]. Le dottrine dell'*Asclepius*, più che una filosofia razionalmente dimostrabile, costituiscono piuttosto una saggezza religiosa proveniente da un dominio superiore dell'essere attingibile solo mediante la facoltà sovrarazionale dell'*intellectus*. L'attività dell'intelletto, esercitata in un clima interiore di pietà e devozione, delinea il sentiero di Ermete Trismegisto presso i santi misteri di Dio, mondo e uomo[93].

---

di tale tesi, Horsfall Scotti, *Apuleio tra magia e filosofia: la riscoperta di Agostino*, pp. 313–314, ha cercato di sviluppare l'argomento, avviato da Nock (*Introduction*), dell'affinità dell'*Asclepius* con il lessico dei traduttori cristiani. Ma più recentemente, per impulso degli studi di Regen (*Apuleius philosophus Platonicus*, p. 101 n. 309) e Hijmans (*Apuleius, Philosophus Platonicus*, p. 411), V. Huninck, *Apuleius and the "Asclepius"*, "Vigiliae Christianae", 50, 3 (1996), pp. 288–308, con analisi stilistica e contenutistica riconduce ad Apuleio la versione dell'*Asclepius*.

[91] *Apologia doctae ignorantiae*, ed. R. Klibansky (h II), p. 21, 9–12: "Legitur beatissimum Ambrosium letaniis addidisse: 'A dialecticis libera nos, Domine'. Nam garrula logica sacratissimae theologiae potius obest quam conferat".

[92] Cf. *Apologia doctae ignorantiae*, ed. R. Klibansky (h II), p. 5, 19–6, 1.

[93] Nella discussione con i monaci di Tegernsee Cusano chiarì che la conoscenza mistica nasce dall'esercizio congiunto delle varie facoltà dell'anima, ovvero dall'unione della componente affettiva o sentimentale e quella razionale, cf. H.G. Senger, *Mystik als Theorie bei Nikolaus von Kues*, in P. Koslowski (ed.), Gnosis und Mystik in der Geschichte der Philosophie, Zürich-München 1988; pp. 112–134 e *Ascl.* 29. Sulla divisione dell'essere in Dio, mondo, uomo, cf. *Ascl.* 8 e 10.

b. Gli insegnamenti teologici dell'*Asclepius* trovarono una naturale accoglienza presso Cusano, sia perché si intrecciavano con temi cari alla sua speculazione sia perché si esprimevano a volte con formulazioni da lui predilette. La ragione di una tale accoglienza risulta illuminata da un brano dell'opuscolo *De filiatione Dei* (1445), che effigia la sua generale visuale teologica: « unum est, quod omnes theologizantes aut philosophantes in varietate modorum exprimere conantur ... unum omnes respicientes variis modis id ipsum expresserunt. Quamvis enim modi dicendi sint adversi et incompatibiles videantur, non tamen nisi id ipsum unum super omnem contrarietatem inattingibiliter collocatum modo quisque suo hic affirmative, hic negative, hic dubie nisi sunt explicare. Una est enim theologia affirmativa omnia de uno affirmans et negativa omnia de eodem negans et dubia neque negans neque affirmans et disiunctiva alterum affirmans alterum negans et copulativa opposita affirmative conectens aut negative ipsa opposita copulative penitus abiciens. Ita quidem omnes possibiles dicendi modi sub ipsa sunt theologia id ipsum ineffabile qualitercumque exprimere conantes »[94]. La concezione teologica di Cusano si mostra, dunque, ampia e unificante per la sua capacità di accordare, oltre ogni differenza specifica, i più diversi indirizzi teologici. Questa concezione sintetica della teologia, elaborata all'interno del più vasto programma della *concordantia philosophorum et theologorum*, deriva dal carattere circolare che, secondo Cusano, possiede ogni tipo di teologia[95]. Il simbolo geometrico del cerchio rappresenta opportunamente, infatti, il carattere sintetico della ricerca teologica, che nella molteplicità delle sue forme resta pur sempre unitaria, poiché, nell'apparente contradditorietà o paradossalità o diversificazione delle sue espressioni e attributi, converte gli opposti in unità e i molti in uno, essendo unico l'oggetto che la muove

---

[94] *De filiatione dei* V 83,1–17, ed. P. Wilpert (h IV), pp. 59–60.
[95] Sulla teologia circolare di derivazione lulliana, cf. *De doct. ign.* I 21 66, ed. H.G. Senger (PhB 264a), Hamburg 1994, pp. 86, 1–88, 10.

ispirandola. Un'analoga tendenza sintetica nella ricerca di Dio sembra felicemente sottesa anche al discorso dell'*Asclepius*, dove il linguaggio teologico di Hermes si esprime mediante una ricca molteplicità di formulazioni, talora apparentemente contraddittorie, epperò collegate da una profonda unità e coerenza dottrinale.

Il carattere radicalmente trascendente della natura di Dio, sviluppato in accordo con i tradizionali moduli platonico-medioplatonici degli scritti apuleiani, che talora anticipano elementi fondanti della speculazione dionisiana, è descritto nell'*Asclepius*, ora con i termini propri di una teologia affermativa come, *bonus, unus, aeternus, sempiternus, plenus et perfectus, summus, stabilis, fixus* ora con nomi ed espressioni che sembrano richiamare i tratti di una teologia negativa, quali *indefinitus, inmobilis, ab omnibus rebus corpulentis alienus, nec quantus sit quantitate nec qualis sit qualitate* o ancora alludere ad una visione di tipo eminenziale come *exsuperantissimus, ultra caelum*[96]. Da questo complesso di denominazioni divine, che si accordano con il quadro della tradizionale riflessione cristiana medievale, le annotazioni di Cusano sembrano significativamente estrarre i termini primi del percorso teologico del libro I del *De docta ignorantia*. La natura trascendente, perfetta e a sé sufficiente di Dio è, infatti, indicata con i nomi di *unus* (*marg.* 4), *aeternus* (*marg.* 23), *bonus* (*marg.* 45, 79), *fecundus* (*marg.* 47–49, 51), *immobilis* (*marg.* 94) e *ineffabilis* (*marg.* 44).

Ma anche l'immanenza di Dio nel creato si trova, d'altra parte, effigiata nell'*Asclepius*, dove la causalità e presenza del creatore nelle cose create si esprime a vari livelli attraverso una molteplicità di 'aspetti'. Tali aspetti sono i principi dell'eternità (*marg.* 101), lo spirito (*marg.* 26, 28, 29), l'amore (*marg.* 49–51), l'intelletto (*marg.* 102–109), e la materia (*marg.* 24) – che nell'*Asclepius* non costituiscono un'ordinata gerarchia di degradanti ipostasi neoplatoniche, ma alcune

---

[96] S. Gersh, *Theological Doctrines of the Latin Asclepius*, in R.T. Wallis-J.Bregman (edd.), *Neoplatonism and Gnosticism*, Albany 1992, pp. 129–166 (132).

manifestazioni particolari o espressioni essenziali della natura di Dio, non rigidamente subordinate tra loro[97].

Le rappresentazioni di Dio fornite da Ermete Trismegisto risultano, pertanto, molteplici e diversificate, ma acquistano senso e carattere di unità mediante l'insegnamento teologico fondamentale di Dio *unus-omnia*[98]. Questa dottrina si annuncia significativamente sin dalle prime righe del testo, dove Ermete dedica ad *Asclepius* un discorso « religiosa pietate divinior », che a coloro che sapranno comprenderlo colmerà la mente di ogni bene, « si tamen multa sunt bona et non unum, in quo sunt omnia. Alterum enim alterius consentaneum esse

---

[97] A. Borgia, *Unità, unicità, totalità di Dio nell'ermetismo antico*, "Studi e materiali di Storia delle Religioni", 13, 2 (1989), pp. 197–211.

[98] Questa dottrina costituisce motivo di sostanziale differenza con la teologia apuleiana. Hijmans, *Apuleius, philosophius Platonicus*, p. 439, osserva che le medesime qualificazioni di Dio presenti negli scritti di Apuleio si riscontrano anche nell'*Asclepius*. Non fa, tuttavia, menzione della dottrina di Dio *unus-omnia* considerata da Festugière, *La révélation d'Hermès Trismégiste, II. Le Dieu cosmique*, Paris 1949, pp. 59 e 67, come il « Leitmotiv » dell'*Asclepius*: "Sous un aspect, ce Dieu apparaît comme supérieur au monde, situé au sommet du monde ou même au de là du monde. Sous un autre aspect, ce Dieu est immanent au monde ou coextensif au monde, il l'enveloppe et le pénètre: l'on va même parfois jusqu'à dire qu'il se confond avec le monde, s'il est vrai que tout être dans le monde, tout être existant, est partie de Dieu. Nous allons retrouver cette équivoque en d'autres traités hermétiques ... mais l'anomalie que nous avons constatée jusqu'ici dans plusieurs traités du C.H. se retrouve, dans l'*Asclepius*, d'un bout à l'autre: Dieu paraît à la fois transcendant et immanent au monde. Cela vient de ce que, tout en conservant le cadre stoïcien, l'auteur puise à d'autres systèmes, inspirés, d'un part, de ce platonisme éclectique des II°-III° siècles qui annonce le néoplatonisme, d'autre part de doctrines peut-être orientales comme celle des Oracles Chaldaïques (fin II° s.)". Tale apparentemente ambiguo statuto dottrinale dell'*Asclepius*, sospeso tra contrapposte categorie dottrinali, ora trascendentistiche e immanentistiche, ora platoniche e stoiche, ora dualistiche e monistiche, ora pessimistiche e ottimistiche, è solo il caso speciale di un problema più generale che investe l'intera tradizione degli scritti del cosiddetto ermetismo filosofico, la cui spiegazione ha impegnato la storiografia critica del secolo scorso, generando una vera e propria tradizione ermeneutica con differenti esiti e soluzioni sia prima che dopo l'opera di Festugière. La raffigurazione fornita dallo studioso francese è stata qui citata come esemplificazione emblematica della questione. Quali che siano, infatti, le differenti spiegazioni e i tentativi di soluzione forniti dagli studiosi a questo quadro dell'*Asclepius*, o più in generale della letteratura ermetica, il problema della presenza di categorie dottrinali contrastanti resta il dato di partenza incontrovertibile che si offre inizialmente ad ogni tipo di lettura e che solo, di fatto, spiega il lavorio critico della storiografia moderna. Per una storia delle interpretazioni, cf. Mahé, *Hermès en Haute-Égypte*, Québec 1982, II, pp. 9–32. Sull'*unus-omnia*, cf. anche Gersh, *Theological Doctrines of the Latin Asclepius*, pp. 136–137.

dinoscitur, omnia unius esse aut unum esse omnia; ita enim sibi est utrumque conexum, ut separari alterum ab utro non possit »[99]. Appare così sulla soglia dell'*Asclepius* un plesso di concetti di grande interesse per Cusano: la rivelazione di Ermete si presenta come una religione intima, della mente, che concepisce l'idea di Dio, espressa come bene, nei termini della dialettica *unus-omnia*, cioè come relazione coesiva di elementi opposti[100]. Si tratta qui di una particolare formulazione della dottrina di Dio come *coincidentia oppositorum*, l'insegnamento centrale di Cusano mutuato direttamente dalla sua fonte privilegiata, Dionigi l'Areopagita[101]. Nel libro I del *De docta ignorantia*, analogamente all'argomento di Anselmo d'Aosta, Cusano asserisce che alla natura di Dio, intesa come massimo assoluto, non si può opporre la realtà di alcun altro essere, altrimenti essa perderebbe il suo carattere di massimità. La natura di Dio come massimo assoluto deve necessariamente includere in sé anche l'opposto del minimo assoluto, altrimenti come massimo non sarebbe veramente assoluto in quanto privo di almeno un elemento della realtà, sia pur minimo. Massimo e minimo coincidono *in uno* quando sono considerati assolutamente, cioè fuori della loro significazione quantitativa. Ne deriva che Dio è uno assolutamente, cioè uno in modo non quantitativo, non numerico, vale a dire non inteso come il primo elemento di una serialità indefinita di enti, ma come una realtà che per essere assoluta include in sé o, meglio, 'complica' l'infinita sequenza dei numeri[102]. Questa riflessione di Cusano ci fa comprendere la sua lettura della dottrina ermetica di Dio *unus-omnia* nel suo primo significato, più strettamente teologico, quello che considera la natura di Dio in sé stessa. Infatti, i due termini di *unus* (Dio) e *omnia* (tutte

---

[99] *Ascl.* 1, ed. Moreschini, p. 39, 5–9.

[100] Sul rapporto tra *coincidentia oppositorum* e infinità di Dio, cf. W. Beierwaltes, *Mystische Elemente im Denken des Cusanus*, in W. Haug - W. Schneider-Lastin (edd.), Deutsche Mystik im abendländischen Zusammenhang. Neu erschlossene Texte, neue methodische Ansätze, neue theoretische Konzepte (Kolloquium Kloster Fischingen 1998), Tübingen 2000, pp. 425–448.

[101] *De div. nom.* IV 7.

[102] *De doct. ign.* I 2 5, edd. Wilpert-Senger (PhB 264a), p. 10, 1–17 e *ibid.* I 4–5 11–14, pp. 16, 1–22, 25.

le cose), che fuori della relazione dialettica *unus-omnia* si oppongono
come l'uno e i molti, il singolare e il plurale, il finito e l'infinito, si
scambiano reciprocamente le proprie qualità specifiche nell'atto della
coincidenza: la molteplicità guadagna la caratteristica dell'unità quale
forza di coesione e l'unità acquista la proprietà della molteplicità come
infinitezza. La coincidenza *unus-omnia* guida alla comprensione che la
realtà assoluta di Dio è, dunque, forza di coesione infinita, ossia unità
incomprensibile. Questa espressione ed il relativo insieme di concetti
richiama direttamente il luogo di *Asclepius* 21, dove Ermete parla della
bisessualità di Dio e di tutti gli esseri creati. L'inesauribile fecondità di
Dio implica, da un lato, il possesso in lui dei due sessi opposti, poiché
egli « solus ut omnia » è « utraque sexus fecunditate plenissimus »;
dall'altro, anche i singoli esseri creati partecipano all'opera di eterna
generazione del creato realizzando la similitudine divina mediante la
congiunzione dei sessi opposti, altrimenti « inpossibile erit semper
esse quae sunt ». Tale *conexio*, chiamata *Cupido* o *Venus*, costituisce
un *mysterium* religioso, che riflette sul piano creaturale la natura di
Dio come unione o amore o 'coincidenza' di due nature opposte, che
Ermete, con un linguaggio identico a Cusano, definisce come « unitas incomprehensibilis » (*marg.* 49). « Pagani pariformiter – spiega
Cusano nel libro I del *De docta ignorantia* – deum variis creaturarum
respectibus nominabant ... Cupidinem propter unitatem duplicis sexus,
ob quam rem etiam Naturam ipsum vocarunt, quoniam per duplicem
sexum species rerum conservat. Hermes ait omnia tam animalia quam
non-animalia duplicis sexus, propterea causam omnium, scilicet deum,
in se masculinum et femininum sexum dixit complicare, cuius Cupidinem et Venerem explicationem credebat »[103].

Ma nel discorso di Ermete ad *Asclepius* risulta degna di nota
almeno un'altra raffigurazione di Dio espressa mediante categorie
contraddittorie. Si tratta dell'immagine di Dio mobile in sé stesso ed
insieme essenzialmente immobile, che nel testo è sviluppata all'interno

---

[103] *De doct. ign.* I 25 83, edd. Wilpert-Senger (PhB 264a), pp. 104, 4–106, 4.

della dialettica di eternità e tempo. L'eternità, come Dio, è immobile e il tempo, come mondo, è mobile. Ma il tempo in quanto creato quale immagine mobile dell'eterno, secondo il classico motivo platonico, possiede una sua peculiare stabilità a causa della legge costante che ne regola il movimento; d'altra parte l'eternità, che è in se stessa immobile, sembra essere in movimento attraverso il tempo, in cui è e in cui risiede ogni movimento[104]. Ne consegue che « aeternitatis stabilitas moveatur et temporis mobilitas stabilis fiat » e che, posta l'identità tra Dio e l'eternità, risulti credibile che « deum agitari in se ipsum eadem immobilitate » (*marg.* 96). L'immobilità di Dio è data dalla sua immensità, poiché egli non soggiacendo ai sensi è indefinito, incomprensibile, inestimabile e non può essere indagato. Sicché Dio « fertur enim in summa stabilitate et in ipso stabilitas sua ». Eternità e tempo, dunque, tendono, infine, a risolversi, oltre le differenze specifiche, in un unico valore: « utrumque ergo infinitum, utrumque videtur aeternum »; l'eternità in quanto non patisce limite di tempo, il tempo in quanto ripete indefinitamente i suoi movimenti ciclici. Questa riflessione ermetica su eternità e tempo venne suggellata da Cusano con la felice e originale immagine: « sicud aqua fluit semper per medium fixi ponti. ita tempus intra eternitatem » (*marg.* 100)[105].

---

[104] *Ascl.* 31, ed. Moreschini, p. 74, 23–24: "per tempus, in quo est et est in eo omnis agitatio".

[105] La prassi abbreviativa di Cusano supporta i due possibili genitivi: *pontis* (ponte) e *ponti* (mare). Ho scelto la seconda lezione perché il concetto di Cusano circa l'identità di natura e la differenza di modo tra eternità e tempo è meglio esemplificato dall'immagine del rapporto tra il mare fermo e l'acqua fluente. Su eternità e tempo come due diversi modi della medesima realtà, infatti, Cusano, *De dato patris luminum* II 97 in Opuscula I, ed. P. Wilpert (h IV), Hamburg 1959, p. 72, 15–20: "Videtur igitur quod idem ipsum sit Deus et creatura, secundum modum datoris Deus, secundum modum dati creatura. Non erit igitur nisi unum, quod secundum modi diversitatem varia sortitur nomina. Erit igitur id ipsum aeternum secundum modum datoris et temporale secundum modum dati, eritque id ipsum factor et factum, et ita de reliquis". Per l'*Asclepius*, cf. I. Parri, *Tempo ed eternità nell'Asclepius*, in Lucentini-Parri-Perrone Compagni (edd.), La tradizione ermetica dal mondo tardo-antico all'Umanesimo/Hermetism from Late Antiquity to Humanism, pp. 45–62.

36   PASQUALE ARFÉ

c. La concezione di Dio *unus-omnia* ha anche un significato propriamente metafisico in quanto non spiega solo la natura di Dio in sé stesso, ma anche la sua relazione con la creazione. Così il rapporto tra Dio (*unus*) e le cose create (*omnia*) risulta delineato nell'*Asclepius* sia nei termini di una identità essenziale nella relazione *ab intra*, poiché prima della creazione tutte le cose (*omnia*) sono unite nella semplicità assoluta di Dio (*unus*), sia nei termini di una differenziazione unitaria nella relazione *ad extra*, poiché nella creazione Dio si è effettivamente effuso ponendo in essere tutte le cose che, pur differenziate in un numero infinito di specie, realizzano tuttavia un'unità allo scopo di mostrare come tutto sia uno e dall'uno derivi tutto (*marg. 3–5*)[106]. Tale rappresentazione dell'*Asclepius* richiama la dottrina della creazione di Cusano espressa nella coppia di termini *complicatio-explicatio*, mutuati dalla ricerca metafisica di Teodorico di Chartres, ispirata da Giovanni Scoto Eriugena e dal medesimo *Asclepius*[107]. *Complicatio* indica la posizione della realtà della creazione (*omnia*) in Dio (*unus*) prima della manifestazione; *explicatio* designa il successivo dispiegarsi dell'unità divina (*unus*) nell'essere della creazione (*omnia*). Questi due momenti, come nell'*Asclepius*, non sono separati nel pensiero di Cusano: Dio è nel contempo *complicatio* ed *explicatio*[108]. La posizione simultanea delle relazioni di Dio col creato, *ab intra* e *ad extra*, risolve l'unilateralità delle rispettive concezioni di trascendenza e immanenza divina, componendole in un'unitaria visione teopantica[109]. Questo particolare statuto dottrinale dell'*Asclepius* comporta naturali difficoltà di

---

[106] *Ascl.* 2, ed. Moreschini, pp. 40, 17–41, 15.
[107] Cf. C. Riccati, *"Processio„ et "Explicatio„. La doctrine de la création chez Jean Scot et Nicolas de Cues*, Napoli 1983. Su Teodorico di Chartres, cf. P. Lucentini, *L'Asclepius ermetico nel secolo XII*, in H.J. Westra (ed.), From Athens to Chartres. Neoplatonism and Medieval Thought. Studies in honour of Édouard Jeauneau, Leiden-New York-Köln 1992, pp. 397–420 (406–410).
[108] *De doct. ign.* II, 3, 111, ed. Senger (PhB 264b), pp. 28, 1–30, 22.
[109] Su trascendenza e immanenza nell'*Asclepius*, cf. Gersh, *Middle Platonism and Neoplatonism*, pp. 345–348; Per Cusano, cf. W. Beierwaltes, *Identität und Differenz*, Frankfurt am Main 1980, p. 113 e *passim*.

carattere esegetico. Alcune formulazioni del testo ermetico, considerate unilateralmente, possono essere interpretate panteisticamente. In un caso sembra, infatti, che l'*Asclepius* non dichiari la semplice immanenza di Dio nelle cose, ma l'identificazione tra le cose e Dio nella relazione *ad extra*; sembra cioè che sia unilateralmente affermata la posizione complementare dell'*unus-omnia*, cioè l'*omnia-unus*. Tale proposizione che ha *omnia* come soggetto dell'affermazione « tutto è uno » – respinta dallo stesso Plotino, nonostante sembrasse fornire un'equiparazione immediata con la proposizione complementare che ha *unus* come soggetto dell'affermazione « uno è tutto »[110] – può supportare, se considerata isolatamente, un'esegesi panteistica. In questo errore sembrerebbe incorrere il medesimo Cusano ad una lettura superficiale delle sue annotazioni. Un passo di *Asclepius* 34, infatti, sulla derivazione originaria del mondo sensibile da Dio recita: « omnia enim deus et ab eo omnia et eius omnia voluntatis » e Cusano lo abbrevia in margine come « omnia deus », fornendo apparentemente una esegesi panteistica del testo (*marg.* 117). Ma il significato del passo si chiarisce nel testo, poche linee dopo, nel senso della forte causalità di Dio rispetto alle cose espressa nei termini della concezione ternaria di Dio quale principio, mezzo e fine del tutto, trascritta da Cusano in margine « omnia a deo in ipso et per ipsum » (*marg.* 118)[111]. Si tratta di un'antica concezione orfica, riferita da Platone nelle *Leggi*, rielaborata nel cristianesimo paolino e giunta a Cusano attraverso Eriugena e il suo maestro Eimerico da Campo[112], che la svolse in stretto rapporto col concetto della triplice causalità di Dio e la proposizione II del *Liber XXIV*

---

[110] W. Beierwaltes, *Denken des Einen. Studien zur neuplatonischen Philosophie und ihrer Wirkungsgeschichte*, Frankfurt am Main 1985, p. 39 (All-Einheit. Plotins Entwurf des Gedankens und seine geschichtliche Entfaltung).

[111] Cf. anche la formulazione nella chiusa di *Ascl.* 17. La concezione di Dio come principio, mezzo e fine del tutto è riferita da Platone in *Leggi* 715, cf. Beierwaltes, *Proklos. Grundzüge seiner Metaphysik*, Frankfurt am Main 1965, p. 78–79 n. 43. Su Cusano, cf. Haubst, *Das Bild des Einen und Dreieinen Gottes in der Welt nach Nikolaus von Kues*, pp. 84–98.

[112] Per Eckhart, cf. Gilly, *Die Überlieferung des Asclepius im Mittelalter*, p. 352.

philosophorum: « Manifestum est, quod omnia sunt in primo tamquam in fonte effectivo, formali et finali ... Et ab Alano (dicitur primum principium) esse sphaera, cuius centrum ubique, circumferentia nusquam. In sphaera enim principium, medium et finis »[113]. Nel solco di questa linea esegetica Cusano commenterà il testo di Paolo: « ex ipso et per ipsum et in ipso sunt omnia: ex ipso enim ut a principio, per ipsum ut per medium, in ipso ut in fine; quoniam est causa efficiens, formalis et finalis omnium, est creator, conservator et conglorificator »[114]. In una concezione del genere non ha senso muovere un'accusa di panteismo, come era stato fatto da Wenck contro il *De docta ignorantia* di Cusano, poiché il concetto di creazione come esplicazione di Dio, cioè effusione dell'essere di Dio in una forma determinata, resta tuttavia fondato sulla distinzione di causa ed effetto, che non implica affatto la coincidenza di Dio e della creatura o la divinizzazione dell'essere universale, come voleva una delle argomentazioni avverse[115]. Nell'*Apologia doctae ignorantiae*, infatti, Cusano scrive: « per hoc enim quod omnia sunt in Deo ut causata in causa, non sequitur causatum esse causam, licet in causa non sit nisi causa, sicut de unitate et numero saepe audisti »[116]. D'altra parte, la distinzione tra causa e causato non significa la negazione della sussistenza della creatura nel suo essere determinato, ma piuttosto la sua fondazione poiché, data l'identificazione eckhartiana di Dio e di *esse*, accolta e difesa da Cusano, la creazione, in quanto atto di posizione della creatura in Dio, riceve come tale il suo fondamento essenziale[117]. Tali considerazioni mostrano, a tutti gli effetti, come Cusano non dovesse ritenere l'*Asclepius* 34 come latore di una dottrina panteistica per il fatto di averlo semplificato in « omnia deus ». Egli

---

[113] *Compendium divinorum* (ms. Mainz, Stadtbibliothek, 610, f. 128v), cf. E. Colomer, *Nikolaus von Kues und Heimeric van den Velde*, "MFCG", 4 (1964), p. 208, n. 43; Beierwaltes, *Proklos*, p. 88, n. 92.

[114] *Rom.* 11,36.

[115] Cf. Flasch, *Nikolaus von Kues. Geschichte einer Entwicklung*, p. 182.

[116] *Apologia doctae ignorantiae*, ed. R. Klibansky (h II), p. 16, 21–23.

[117] A. Bonetti, *La ricerca metafisica di Nicolò Cusano*, Brescia 1973, pp. 107–108.

era, infatti, ben consapevole delle difficoltà esegetiche poste dal testo ermetico e si potrebbe aggiungere che se Hermes Trismegistus fosse stato un cristiano Cusano lo avrebbe certamente incluso nel numero di quei pensatori che – oltre a Dionigi, vanno da Mario Vittorino a Davide di Dinant, da Giovanni Scoto Eriugena e Honorius Augustodunensis a Bertoldo di Moosburg – citati nell'*Apologia doctae ignorantiae* come autori di scritti di rischiosa interpretazione dottrinale, contenenti *insolita* da tenere lontani dai lettori privi del principio della *coincidentia oppositorum* o del metodo della *docta ignorantia*, che soli possono fornire il principio esplicativo di formulazioni metafisiche apparentemente paradossali, soggette per questo a dei facili fraintendimenti[118].

Ma oltre la dottrina di Dio principio, mezzo e fine del tutto, Cusano evidenziò nell'*Asclepius* altre analogie con la sua metafisica. La creazione come espressione cosmologica dell'esemplare divino è secondo Cusano una contrazione trinitaria. L'unità di ogni ente creato risulta dall'interazione di tre principi: a Dio Padre corrisponde la *materia* come possibilità dell'universo, a Dio Figlio la *forma* come determinazione dell'unità e identità, a Dio Spirito il *nexus* come legame di materia e forma ovvero attuazione nelle singole creature della possibilità dell'universo[119]. Assonanze con questa struttura triadica della contrazione dell'essere universale, anche se non delle vere corrispondenze, Cusano trovò talvolta nell'*Asclepius*, che, come gli scritti apuleiani, secondo le linee comuni di un tradizionale insegnamento platonico, concepisce la creazione come una composizione di tre principi: Dio, le forme, la materia[120]. La concezione della ὕλη nell'*Asclepius* conosce, accanto alla tradizionale versione ciceroniana del termine come *ma-*

---

[118] *Apologia doctae ignorantiae*, ed. R. Klibansky (h II), pp. 29, 15–30, 3.

[119] H. Schnarr, *Modi essendi. Interpretationen zu den Schriften De docta ignorantia, De coniecturis und De venatione sapientiae von Nikolaus von Kues*, Münster Westfalen 1973, pp. 22–24.

[120] Sulla teoria della materia, cf. Gersh, *Middle Platonism and Neoplatonis*, pp. 354–356; *supra* n. 54.

teria, una traduzione originale come *mundus*[121]. Con questo termine, oltre al significato comunemente attestato di universo sensibile o di sua parte celeste o terrena, il traduttore dell'*Asclepius* indica la nozione di sostanza materiale, che oscilla tra due diverse accezioni: l'idea platonica di ricettacolo (ὑποδοχή) e spazialità pura (χώρα), ossia la materia come semplice sostrato delle forme, privo di ogni qualità originaria, presente negli scritti apuleiani, e quella di un principio causativo del reale, correlato talora al piano della divinità, dotato di energia generativa, quasi equivalente alla φύσις aristotelica. Ma l'uso improprio del termine *mundus* in luogo di quello di *materia* fu al filosofo chiaro: « nota dicit mundum non natum sed nascibilem » (*marg.* 24)[122].

La dottrina delle forme nell'*Asclepius* conosce una significativa elaborazione[123]. L'universo degli enti creati si presenta sostanziato di forme che come generi o specie stabiliscono l'identità di tutte le cose: dagli elementi fisici fino alle specie viventi di dèi, demoni, uomini, animali e piante. Le forme di tutte le cose si distinguono in un ordine gerarchico, il cui vertice tende verso Dio. Esistono due diversi concetti di forma nell'*Asclepius*: il primo rinvia alla concezione platonica di elemento ideale informatore del reale separato dalle cose di cui è l'esemplare eterno, l'altro richiama l'idea aristotelica di principio più immanente alle cose create e, quindi, attivo nella composizione specifica del singolo ente creato (*marg.* 119–121, 123–125). In questo ultimo senso, le forme per Cusano non esistono se non nella contrazione sensibile, mentre fuori di questa esse si identificano platonicamente nell'unica forma del Verbo divino[124].

Uno degli aspetti di Dio, oltre l'eternità, l'intelletto, l'amore, è nell'*Asclepius* lo *spiritus*. Il discorso sullo *spiritus* svolto da Ermete

---

[121] M. Bertolini, *Sul lessico filosofico dell'Asclepius*, "Annali della Scuola Normale Superiore di Pisa. Classe di Lettere e Filosofia", 15, 4 (1985), pp. 1190–1193.

[122] Sulla materia in Cusano, cf. Schnarr, *Modi essendi*, pp. 26–31.

[123] Sulle forme, cf. Gersh, *Middle Platonism and Neoplatonism*, pp. 351–354.

[124] *De doct. ign.* II, 9, 148, edd. Wilpert-Senger (PhB 264b), pp. 72, 1–74, 27. Sulle forme in Cusano, cf. Schnarr, *Modi essendi*, pp. 34–36.

è di un certo interesse, poiché Cusano potè trovarvi alcune analogie con la sua idea sullo spirito come terzo momento della trinità
nell'universo[125]. Anche nell'*Asclepius* il principio dello *spiritus* si
presenta dotato di uno statuto ambivalente[126]. Esso sembra, da un lato,
come un principio inerente la natura di Dio, dall'altro, come un fattore
cosmologico, che richiama la concezione stoica del πνεῦμα fisico, ope-
rante nel mondo quale organo o strumento della volontà di dio, che dà
vita e nutrimento a tutte le cose, principio di movimento e animazione
dell'universo (*marg.* 26, 28–29)[127]. Similmente, in Cusano lo *spiritus*
ha un duplice statuto: oltre al significato dogmatico di ipostasi di Dio,
esso costituisce, infatti, il moto d'amore che unisce la materia e la
forma, esprimendosi nel cosmo nei diversi livelli del moto dei cieli,
dei corpi celesti e della natura[128].

Il mondo è, dunque, espressione della volontà e bellezza di Dio
(*marg.* 45), e come tale è una creatura che riflette lo splendore interno
del suo creatore. Il mondo è nell'*Asclepius* fatto da Dio come un secondo dio, visibile e sensibile, bello, poiché colmo della bontà di tutte
le cose, e amabile, in quanto parto della sua natura divina[129]. Ma tale
creazione si realizza, come pure nell' insegnamento scritturale, quale
immagine del principio causativo originario[130]. Infatti, subito dopo
aver affermato che « aeternitatis dominus deus primus est, secundus
est mundus, homo est tertius », Ermete Trismegisto dice che di Dio
« sunt imagines duae mundus et homo » e Cusano annota « homo ad
dei ymaginem, sicud eciam mundus » (*marg.* 19)[131]. Da cui discende
logicamente: « ac si dicitur ymago dei boni est mundus ergo ipse bo-

---

[125] *De doct. ign.* II, 10, 151–152, edd. Wilpert-Senger (PhB 264b), pp. 78, 7–80, 13; cf. Schnarr, *Modi essendi*, pp. 36–38.
[126] Sul principio dello *spiritus*, cf. Gersh, *Middle Platonism and Neoplatonism*, pp. 361–363.
[127] *Ascl.* 16–17, ed. Moreschini, p. 55, 4–17.
[128] Sullo spirito in Cusano, cf. Schnarr, *Modi essendi*, pp. 36–38.
[129] *Ascl.* 8, ed. Moreschini, p. 46, 5–13.
[130] Cf. il saggio sulla dottrina dell'immagine in Plotino di Beierwaltes, *Denken des Einen*, pp. 73–113.
[131] *Ascl.* 10, ed. Moreschini, p. 48, 23–24 e p. 49, 10.

nus » (*marg.* 79), e successivamente: « deus intra se ab eterno habuit mundum sensibilem, unde mundus imago dei et eternitatis imitator » (*marg.* 95). Perciò il mondo appare come sfera in quanto riproduce simbolicamente il suo esemplare divino. Il concetto di Dio come sfera infinita doveva pertanto apparire sotteso alla concezione del mondo nell'*Asclepius*[132]. Il capitolo 17, infatti, dopo aver enunciato i principi di Dio, materia e spirito, parla del mondo in questi termini: «est enim cava rotunditas in modum sphaerae»[133]. E da un tale concetto di mondo Cusano inferisce nel *De ludo globi*, argomenti sulla rotondità assoluta di Dio: «Ideo est imago rotunditatis absolutae. Rotundus enim mundus non est ipsa rotunditas, qua maior esse nequit, sed qua maior non est actu. Absoluta vero rotunditas non est de natura rotunditatis mundi, sed eius causa et exemplar, quam aeternitatem appello, cuius rotunditas mundi est imago. In circulo enim, ubi non est principium nec finis, cum nullus punctus in eo sit, qui potius sit principium quam finis, video imaginem aeternitatis; quare et rotunditatem imaginem assero aeternitatis, cum sint idem»[134]. Cusano richiama a questo punto l'autorità dell'*Asclepius* per supportare una profonda speculazione filosofica sull'invisibilità della rotondità. Ermete, spiega Cusano, insegna che la sfera concava del mondo «ipsa sibi qualitatis vel formae suae causa invisibilis tota, quippe cum quemcumque in ea summum subter despiciendi causa delegeris locum, ex eo, in imo quid sit, videre non possis»[135]. Per cui, sintetizzando l'argomentazione, Cusano conclude che come la rotondità del mondo è invisibile così lo è quella del punto sommo al suo interno, cioè l'atomo. In altri termini, la rotondità

---

[132] Il concetto di Dio come sfera infinita è l'oggetto della II sentenza del *Liber XXIV philosophorum*, che Cusano aveva probabilmente già studiato direttamente, ma che aveva certamente appreso dalle opere di Eckhart, cf. H. Wackerzapp, *Der Einfluss Meister Eckharts auf die ersten philosophischen Schriften des Nikolaus von Kues (1440–1450)*, Münster 1962 (Beiträge zur Geschichte der Philosophie und Theologie des Mittelaters 39,3), p. 142; Lucentini, *Il libro dei ventiquattro filosofi*, pp. 130–134, 141–149.

[133] *Ascl.* 17, ed. Moreschini, p. 55, 17–18.

[134] *De ludo globi*, ed. H.G. Senger (h IX), Hamburg 1998, p. 18, 12–19.

[135] *Ascl.* 17, ed. Moreschini, pp. 55, 18–20–56, 1.

del mondo, il più grande, e la rotondità dell'atomo, il più piccolo, coincidono nella caratteristica dell'invisibilità[136].

d. L'uomo, in quanto ente creato, è considerato nell'*Asclepius* come una *imago dei* e, in quanto terzo dio, costituisce il termine ultimo della creazione. Queste coordinate teoriche dell'antropologia ermetica spiegano il naturale incontro dell'*Asclepius* con la tradizione cristiana. Dai Padri della Chiesa a Tommaso d'Aquino, fino a Bonaventura, Eckhart e Cusano l'essere *imago dei* è proprietà del Figlio di Dio, mentre l'essere fatto *ad imaginem dei* è condizione dell'uomo[137]. Si tratta della differenza tra il processo generativo interno a Dio, la generazione del Verbo divino, la seconda ipostasi della Trinità, e il processo creativo esterno a Dio concernente il piano della realtà creaturale. Questa distinzione dogmatica sembra sottolineata da Cusano con un secco intervento in margine all'*Asclepius* che pare quasi avere il sapore di una correzione: « homo ad dei ymaginem, sicud eciam mundus » (*marg.* 19). La concezione ermetica dell'uomo *imago dei* costituisce, inoltre, uno dei più significativi elementi dottrinali di spiegazione della genesi dell'esegesi di Lattanzio, che nell'*Asclepius* aveva interpretato il mondo, secondo dio, come una profetica attestazione del Figlio di Dio. L'influsso di questa esegesi svolse la sua azione anche su Cusano. Nella chiusa di *Asclepius* 16 si afferma, infatti, che il Dio sommo, « mente sola intelligibilis », è *rector* e *gubernator* del dio sensibile, cioè il mondo, che contiene in sé « omnem locum, omnem rerum substanciam totamque gignentium creantiumque materiam et omne quicquid est, quantumcumque est »[138]. A questa qualificazione del mondo, *deus sensibilis*, corrisponde però, secondo Cusano, l'uomo: « deus intelligibilis rector est sensibilis dei scilicet hominis » (*marg.* 27). Tale

---

[136] Cf. l'analisi di Senger dell'atomismo filosofico, *Ludus sapientiae*, cit. *supra* n. 20.

[137] Cf. G. Santinello, *L'uomo « ad imaginem et similitudinem » nel Cusano*, "Doctor Seraphicus. Bollettino del Centro di studi bonaventuriani", 37 (1990), p.86.

[138] *Ascl.* 16, ed. Moreschini, p. 55, 9–10.

influsso avrà una lunga eco nell'opera di Cusano, poiché ancora nel *De beryllo* (1458) egli attribuirà ad Ermete la dottrina dell'uomo secondo dio[139].

Il tema dell'uomo come termine ultimo della creazione, che riassume in se stesso i modi di tutte le creature, risulta da tutto lo svolgimento teorico dell'antropologia dell'*Asclepius*. L'uomo, terzo dio, viene posto in essere da Dio dopo la creazione del mondo, secondo dio, perché possa contemplare e venerare le cose celesti e al tempo curare e governare quelle terrene. Ciò che spiega la costituzione stessa dell'uomo, che è formato dall'unione di una duplice natura, celeste e terrena, per partecipare ai due diversi ordini della realtà. Mediante l'essenza immortale, ama e rende lode a colui che « solus omnia aut pater est omnium »[140]. Mediante il corpo mortale, l'uomo attende a tutte quelle attività che caratterizzano la società degli uomini come le colture, i pascoli, le costruzioni, i porti, la navigazione, le comunicazioni e le relazioni. Intermediario tra la sfera divina e la terrena, stringe insieme « nexu caritatis » gli esseri superiori a quelli inferiori. Rispetto a questi è migliore, perché è l'unico vivente a possedere, per concessione divina, l'intelletto, facoltà conoscitiva che esiste solo in Dio. Rispetto a quelli è migliore, perché egli è come arricchito dalla mortalità del suo corpo, che gli conferisce abilità ed efficacia per la cura del mondo. Questo particolare statuto ontologico conferisce all'uomo

---

[139] *De beryllo* 7, edd. H.G. Senger-K. Bormann (h 11,1), Hamburg 1988, p. 9, 1–10, 13: "Quarto adverte Hermetem Trismegistum dicere hominem esse secundum deum. Nam sicut deus est creator entium realium et naturalium formarum. ita homo rationalium entium et formarum artificialium, quae non sunt nisi sui intellectus similitudines sicut creaturae dei divini intellectus similitudines. Ideo homo habet intellectum, qui est similitudo divini intellectus in creando. Hinc creat similitudines similitudinum divini intellectus, sicut sunt extrinsecae artificiales figurae similitudines intrinsecae naturalis formae. Unde mensurat suum intellectum per potentiam operum suorum et ex hoc mensurat divinum intellectum, sicut veritas mensuratur per imaginem. Et haec est aenigmatica scientia. Habet autem visum subtilissimum, per quem videt aenigma esse veritatis aenigma, ut sciat hanc esse veritatem, quae non est figurabilis in aliquo aenigmate". Su questo passo, cf. Bormann, Thurner e Arfé (2003, pp. 235–236) cit. *supra*, n. 87.

[140] *Ascl.* 9, ed. Moreschini, p. 48, 6–7.

carattere di microcosmo. La celebre esaltazione dell'uomo, tratteggiata in *Asclepius* 6, che si apre con l'espressione « magnum miraculum est homo » e culmina nella affermazione: « omnia idem est et ubique idem est »[141], è significativamente postillata da Cusano così: « nota bene rogo pulchra sunt ista » (*marg.* 9).

Non fu, tuttavia, soltanto l'aspetto ontologico dell'antropologia dell'*Asclepius* ad attrarre l'attenzione di Cusano, ma anche la sua dottrina etica. La considerazione ontologica dell'uomo è accompagnata dal tema esistenziale della « disciplina vitae ». Il fondamento di una tale disciplina risiede nella medesima struttura dell'uomo. Nesso di Dio e mondo, ente dotato di natura mista, immortale e mortale, per poter essere perfetto, l'uomo fu dotato di quattro elementi in entrambe le sue parti: con gli organi delle mani e dei piedi, gli uni e gli altri in numero di due, il suo corpo veglia sull'ordine del mondo svolgendo un'attività ben ordinata; con le facoltà di ragione, intelletto, memoria e previsione, la sua anima onora Dio piamente conoscendo e contemplando tutte le cose divine. Compito dell'uomo è attendere in modo degno ad entrambe le funzioni, poiché il culto di Dio non si esaurisce solo nella sua venerazione, ma anche nella cura mondana. Chi, infatti, conserva e accresce, mediante le proprie attività, la bellezza del mondo, creatura di Dio, coopera con la volontà di Dio stesso al disegno di perfezionamento dell'opera[142]. Ma non tutti gli uomini sono capaci di assolvere il duplice compito di riverire dio e curare il mondo, poiché, non riuscendo ad esercitare la facoltà più elevata della loro anima, l'intelletto, cadono in una forma di conoscenza ingannevole che, ignorando la vera natura delle cose, « in mentibus malitiam parit et transformat optimum animal in naturam ferae moresque beluarum »[143]. Il peccato morale e l'errore dipendono dal diverso rapporto degli uomini

---

[141] *Ascl.* 6, ed. Moreschini, p. 44, 3 e 20.
[142] *Ascl.* 11, ed. Moreschini, p. 51, 1–5.
[143] *Ascl.* 7, ed. Moreschini, p. 45, 19–21. Cf. P. Lucentini, *Il problema del male nell'Asclepius*, in Lucentini-Parri-Compagni (edd.), La tradizione ermetica dal mondo tardo-antico all'Umanesimo/Hermetism from Late Antiquity to Humanism, pp. 25–44.

con l'intelletto, che non è uguale in tutti, poiché non tutti sono capaci di accogliere i benefici del suo dono celeste. Tali benefici sono paragonati alla luce del sole, sicché quando l'anima umana si collega coscientemente all'intelletto, è libera dalle tenebre dell'errore e perciò diviene simile agli dèi (*marg*. 31–33). La dottrina dell'intelletto, « est enim sanctissima et magna et non minor quam ea quae est divinitatis ipsius »[144], costituisce quasi il filo conduttore e la dottrina nucleare dell'intero dialogo. Ermete insegna che la natura intellettuale costituisce l'aspetto celeste della intera realtà (Dio, mondo, uomo). « Similis divinitatis », l'intelletto, immobile, si muove nella sua stabilità e a lui, santo, incorrotto ed eterno si addice tutto quanto di migliore può dirsi del sommo Dio, in quanto è « consistens cum Deo » (marg. 101–102). Ermete distingue la gerarchia discendente dei quattro intelletti o gradi di intellezione della realtà: Dio ed eternità (che insieme si integrano), mondo e uomo[145]; e rivela che la luce dell'intelletto consente all'uomo, da un lato, di rendersi capace di governare la terra, mediante le forze della memoria che conservano gli avvenimenti passati (*marg*. 103), dall'altro lato, ripercorrendo in senso ascendente la gerachia degli intelletti, di ergersi oltre la dimensione mendace del tempo verso la verità dell'intelletto di dio (*marg*. 104–105). Ma si tratta di un difficile sentiero di conoscenza, in quanto l'intelletto dell'uomo giunge solo a conoscere « quasi per caliginem » l'intelletto del mondo (*marg*. 107). Tale limitatissima « intentio mentis », descritta con un linguaggio che richiama la *coincidentia oppositorum*, produce però un effetto amplis-

---

[144] *Ascl*. 6, ed. Moreschini, p. 45, 7–8.
[145] La dottrina dell'intelletto di *Asclepius* 32 è fonte di interpretazioni controverse. W. Scott, *Hermetica, III. Notes on the Latin Asclepius*, Oxford 1926, p. 209, distingue tre possibili significati del νοῦς: "1. God's faculty of thought; 2. man's faculty of apprehending God; 3. a faculty in man which comes from God", e afferma: "I think the primary meaning of the term in this passage is the third of these. The divine, the cosmic and the human νοῦς are three grades of νοῦς *as it exists in man* ... but though this seems to be the primary meaning, the other two meanings are not excluded and may have been combined with it in the writers's thought". Secondo A.-J. Festugière gli intelletti del mondo e dell'uomo sono partecipazioni dell'intelletto divino, cf. *Corpus Hermeticum, II. Asclepius*, Paris 1945 (*Commentaire* n. 278).

simo nella felicità della coscienza, e infatti Cusano: « nota rogo quomodo hic angustissima est intellegencia et in felicitate conscience latissima » (*marg.* 108). Si delineano così i tratti di una vera e propria
« religio mentis » culminante nell'attività dell'intelletto, facoltà superiore dell'anima, dono tratto dall'etere, concesso esclusivamente
all'uomo per la conoscenza di dio (*marg.* 12–13). Sul corretto esercizio
della facoltà intellettuale della mente si fonda, pertanto, l'etica
dell'*Asclepius*, che si sviluppa come un'etica della libertà in quanto
lascia l'uomo libero di creare il proprio destino. Mediante il potere
dell'intelletto l'uomo può farsi simile a dio o ai demoni (*marg.* 7), e-
levandosi alla sua parte 'deiforme' (*marg.* 8–9), che se coltivata retta-
mente può renderlo superiore agli dèi (*marg.* 59) in quanto potenzia e
rende significativa anche la sua natura corporea. Il corpo, infatti, oltre
ogni svalutazione di tipo platonico o gnostico, risulta nell'*Asclepius*
celebrato come un elemento divino, uno « strumento per imitare e pro-
lungare la provvidenza di Dio, e portare a compimento la perfezione
dell'universo … il corpo, così, non rende l'uomo inferiore, ma lo eleva
sopra demoni e dèi »[146]. Esso svolge un ufficio santo, poiché « corpus,
quo circumtegitur illud quod in homine divinum esse iam diximus, in
quo mentis divinitas ... conquiescat tamquam muro corporis saepta »[147].
Cusano legge, tuttavia, questo passo: « nota corpus carcer anime »
(*marg.* 15) secondo la classica prospettiva platonica che trova un più
facile accordo con la concezione cristiana del corpo *subditum peccatis*.
Che Cusano interpreti l'*Asclepius* in quest'ottica è sorprendentemente
chiarito in una mirabile sintesi nel sermone *Michael et eius angeli*
(1456): « Omnis species, quae consistit in quodam indivisibili, est caelum, cui praesidet intelligentia sive angelus, qui est quasi Deus in regno
suo. Omnis homo est quasi species ob sui perfectionem. Hermes enim
ille Mercurius Trismegistas ad Aesculapium scribens dicebat: "hu-

---

[146] P. Lucentini, *Il corpo e l'anima nella tradizione ermetica medievale*, in L. Rotondi Secchi
Tarugi (ed.), L'Ermetismo nell'Antichità e nel Rinascimento, Milano 1998, pp. 61–72 (64).
[147] *Ascl.* 7, ed. Moreschini, p. 45, 26–28.

manitatem genus, homines species". Licet quidam dicant textum ad nos in hoc non bene translatum pervenisse, tamen quia videmus animam rationalem, sine qua homo non est homo, non esse ex traduce sed in quolibet homine ex creante, qui est creator specierum, ideo motui rationali praeesse intelligentiam in homine experimur. Rationalis enim motus est ex intelligentia. Sed quia intelligentia nostra, quae est in corpore subdito peccatis, nisi dirigeretur a separata intelligentia, semper sequeretur passiones corporales, ideo adest angelus, qui nos sursum movet, ut desideremus illa, quae sunt naturae intellectualis, et incitat motum rationalem ad aeterna »[148]. Anche nell'*Asclepius* l'esercizio dell'intelletto consente l'attuazione della piena natura degli uomini, che se avranno diligentemente assolto il duplice compito di venerare gli dèi e di curare il mondo riceveranno la ricompensa ottenuta dagli avi e invocata dalle preghiere di Ermete e dei suoi discepoli, cioè di essere restituiti « nexibus mortalitatis absolutos, naturae superioris parti, id est divinae, puros sanctosque » (*marg.* 21)[149]. Ma a coloro che non avranno ottemperato degnamente alla missione sancita dalla propria origine divina, vivendo nel male e nell'empietà, sarà riservata una duplice orribile pena: « et reditus denegatur in caelum et constituitur in corpora alia indigna animo sancto et foeda migratio » (*marg.* 22). Ermete, infatti, invita Asclepius a temere non tanto la morte del corpo, quanto piuttosto l'eternità della pena dell'anima. L'esame e il giudizio del demone supremo – « id est dei » annota Cusano, forzando l'interpretazione del testo – determinerà la beatitudine o dannazione dell'anima (*marg.* 85). Se essa sarà stata pia e giusta avrà in sorte le sedi superne, in caso contrario sarà precipitata verso il basso e abbandonata alla tempesta e ai turbini degli elementi in lotta tra loro, affinché « aeternis poenis » sia continuamente stravolta tra cielo e terra (*marg.* 86). Allora sarà la stessa eternità dell'anima a nuocerle, ciò che il Tris-

---

[148] *Sermo CCXLVI* 8, ms. Città del Vaticano, Biblioteca Apostolica Vaticana, lat. 1245, f. 180rb (citazione tratta dalla Cusanus-Datenbank dell'Institut für Cusanus-Forschung, Trier).
[149] *Ascl.* 11, ed. Moreschini, p. 51, 9–10.

megisto esorta a temere, poiché essa si vedrà condannata da un giudizio eterno ad un supplizio eterno secondo pene proporzionalmente commisurate agli errori commessi in vita e tanto più dure quanto più gli errori siano stati tenuti nascosti (*marg.* 87–88). Il tema della sorte ultraterrena dell'anima è sviluppato in stretta connessione con la celebre profezia dell'*Asclepius*, che, all'interno di un quadro apocalittico a tinte forti, delinea i tratti di una visione escatologica attentamente studiata da Cusano[150]. Ermete profetizza ad Asclepius la *senectus mundi*, cioè la fine della sacra terra d'Egitto e l'avvento di un tempo in cui gli dèi si ritireranno dal mondo e prevarrà la corruzione morale degli uomini con l'empietà, il disordine, la confusione di tutti i beni (*marg.* 67–76)[151]. Allora Dio, padre e signore di tutte le cose, interverrà con la sua buona volontà e, dopo aver annientato il male con un diluvio o il fuoco o malattie pestilenziali (*marg.* 77), richiamerà il mondo « ad antiquam faciem », affinché gli uomini possano nuovamente adorare e ammirare e glorificare Dio e la sua opera « frequentibus laudum praeconiis benedictionibusque ». Questa sarà la *genitura mundi*, cioè la « cunctarum reformatio rerum bonarum et naturae ipsius sanctissima et religiosissima restitutio » realizzata nel corso del tempo dalla volontà essenzialmente buona di Dio (*marg.* 78–79)[152].

e. Dalla lettura dell'attuale codice Bruxelles, Bibliothèque Royale Albert 1er, 10054–56 Cusano trasse indubbiamente molteplici suggestioni fondate principalmente nell'alveo speculativo della tradizione *lato sensu* platonica. In questo senso la scrittura medio-platonica di Apuleio risulta per molti versi consonante con quella ermetica dell'*Asclepius* specialmente in ordine alle dottrine relative alla natura di dio, alla sua conoscibilità, e alla costituzione del mondo. Ma due almeno sono gli elementi differenziali di maggior contrasto tra le due tradizioni: la dot-

---

[150] Sulla comprensione di tempo ed eternità e l'escatologia in Cusano, cf. Senger, *Ludus sapientiae*, pp. 162–180.
[151] *Ascl.* 24–25, ed. Moreschini, pp. 65, 6–68, 1.
[152] *Ascl.* 26, ed. Moreschini, p. 68, 9–15.

trina teologica di Dio *unus-omnia* e l'antropologia. In ordine a questo tema si deve osservare che la divergenza fondamentale consiste nel fatto che, mentre in Apuleio la separazione tra i poli di dio, da un lato, e del mondo e degli uomini, dall'altro lato, è affidata alla mediazione dei demoni; nell'*Asclepius*, invece, l'opera di mediazione tra dio e mondo è affidata all'uomo[153]. Tale concezione dell'uomo, condivisa pienamente da Cusano, non costituisce, tuttavia, un elemento nuovo nella tradizione cristiana medievale. Basti pensare all'opera di Agostino ed Eriugena che Cusano conobbe adeguatamente. Ciò che invece sembra il guadagno esclusivo della lettura dell'*Asclepius* da parte di Cusano è l'originale concezione dell'intelletto. Cusano ha condiviso con il platonismo antico e medievale una visione della conoscenza distinta nei gradi di *sensus*, *ratio* e *intellectus*, ma è l'unico pensatore all'interno di quella tradizione culturale ad aver indicato nella *coincidentia oppositorum* il principio di funzionamento logico dell'intelletto. Se il collegamento tra l'attività dell'intelletto e la norma della *coincidentia oppositorum* rappresenta un elemento di assoluta originalità della filosofia di Cusano, l'*Asclepius* ha indubbiamente il merito di aver svolto una forte suggestione in questo senso. In effetti, anche se l'*Asclepius* non ha mai tematizzato esplicitamente questa dottrina, lo svolgimento del suo intero discorso dimostra, tuttavia, l'intima connessione tra l'attività più elevata della mente, l'intelletto, e ciò che con esso si apprende, la sapienza divina, che attraverso le parole di Ermete si rivelava per Cusano nelle formulazioni paradossali della *coincidentia oppositorum*.

---

[153] Infatti, anche se nel *De deo Socratis* l'uomo ha lo statuto di mediatore in quanto la sua anima immortale può in alcuni sensi essere considerata un demone, nell'*Asclepius* tuttavia l'uomo è un mediatore per la sua costituzione integrale, cioè come composto di anima e corpo, misto di una natura immortale e mortale. Nell'*Asclepius* non è dunque semplicemente l'anima dell'uomo intesa come demone a costituire il *nexus dei et mundi*, ma è l'uomo intero. La concezione antropologica apuleiana risulta, pertanto, caratterizzata da un più forte accento platonico, mentre quella dell'*Asclepius* appare più intrisa di elementi stoici.

III.

Il manoscritto

Bruxelles, Bibliothèque Royale Albert 1er, 10054–56

Descrizione del manoscritto[154]: Codice membranaceo, sec. IX in.[155], Germania (Biblioteca di corte di Ludovico il Pio?)[156], ff. II + 75 + II' (numerazione moderna a matita), mm. 240 x 185. Fascicoli (senza richiami): 1 (6), 2–9 (8), 10 (4+1). Linee 23 (24 da f. 63v, 27 solo f. 75r). Rigatura a secco. Specchio di rigatura: mm. 160 x 130. Titoli rubricati. Inchiostro marrone.

Scrittura carolina di modulo medio e *ductus* posato distesa nella *scriptio continua* di quattro diverse mani[157]. La prima mano (ff. 2r, ll. 4–6; 10r, ll. 4–12; 15v, ll. 2–8) è caratterizzata da un modulo più piccolo, un *ductus* più raccolto, e una forma più arrotondata delle lettere *m* ed *n*. La seconda mano (continuando il f. 2r fino alla metà del f. 20v) risulta complessivamente meno arrotondata con l'occhiello delle *g* più

---

[154] Per le precedenti descrizioni, cf. Arfé, *The Annotations of Nicolaus Cusanus and Giovanni Andrea Bussi on the Asclepius*, pp. 29–30, n. 2.

[155] La datazione del codice è oscillata presso i vari studiosi dei secoli scorsi tra i sec. IX e XI; recentemente L.D. Reynolds, *Apuleius. Opera philosophica*, in Id. (ed.), Texts and Transmission: A Survey of the Latin Classics, Oxford 1983, ha riaffermato una datazione alta al terzo decennio del sec. IX, cf. per le varie datazioni Regen, *Der Codex Laurentianus pluteus 51,9*, pp. 201–202.

[156] Bernhard Bischoff ha per primo ipotizzato e poi respinto l'appartenenza all'ambiente di Ludovico il Pio, cf. Klibansky-Regen, *Die Handschriften der philosophischen Werke des Apuleius*, p. 61.

[157] In una lettera del 4. 8. 1985 Bischoff ha comunicato a Regen di aver individuato quattro differenti mani, cf. Klibansky-Regen, *Die Handschriften der philosophischen Werke des Apuleius*, pp. 61–62. Thomas aveva precedentemente distinto solo due mani, cf. P. Thomas, *Études sur la tradition manuscrite des oeuvres philosophiques d'Apulée*, "Académie Royale de Belgique. Bulletin de la classe des lettres et de sciences morales et politiques et de la classe des beaux-arts", 4 (1907), pp. 103–147 (108).

spigolato. La terza mano (f. 17v, ll. 1–3) è identificata da un *ductus* più compatto e diritto nel tratteggio delle *m* ed *n* e dalla presenza di legature *re* ed *rcc*. La quarta mano (dalla metà del f. 20v fino al f. 75v) presenta gli elementi slanciati della scrittura in un evidente ispessimento claviforme[158].

Correzioni testuali di varie mani ed epoche diverse[159]. Le correzioni più significative del testo, assegnate dalla critica moderna al correttore B[2], erroneamente datato al sec. XI, sono state da me attribuite alla scrittura umanistica di Giovanni Andrea Bussi[160]. Esse sono scritte in un inchiostro giallognolo, ma vi sono anche esempi in un inchiostro marrone scuro.

Glosse marginali in gotica corsiva appartenenti alla mano di Nicola Cusano[161]. Esse sono scritte in due diversi inchiostri: il primo di colore verde, che si stempera in una tonalità grigio-verdastra, impiegato per lo più lungo i margini dell'*Asclepius* e del *De Platone et eius dogmate*, il secondo di colore marrone scuro, quasi nero, che in certi tratti diviene marrone chiaro, usato nei margini del *De deo Socratis*. Ciò che attesta due distinti tempi di scrittura delle glosse. L'analisi delle citazioni esplicite dei testi nell'opera di Cusano apre il campo all'ipotesi che il primo tempo di scrittura delle glosse corrisponda all'impiego del colore verde e il secondo tempo del colore marrone. Gli anni 1430 e 1440, date rispettive di composizione del sermone *In principio erat Verbum*, che cita l'*Asclepius* indirettamente sulla base delle *Divinae institutiones* di Lattanzio, e del *De docta ignorantia*, che contiene le

---

[158] Questa corrisponde alla seconda mano di Thomas, cf. Thomas, *Études sur la tradition manuscrite des oeuvres philosophiques d'Apulée*, pp. 108–109.

[159] Sui correttori del Bruxellensis, cf. Thomas, *Études sur la tradition manuscrite des oeuvres philosophiques d'Apulée*, p. 141.

[160] Cf. Arfé, *The Annotations of Nicolaus Cusanus and Giovanni Andrea Bussi on the Asclepius*, pp. 46–50.

[161] L'attribuzione delle note risulta per la prima volta in Vansteenberghe, *Le Cardinal Nicolas de Cues*, cit. *supra* n. 3.

prime citazioni dirette dell'*Asclepius*, costituiscono, infatti, i termini *post quem* e *ante quem* di scrittura delle glosse all'*Asclepius*[162]. L'anno 1449, data di composizione dell'*Apologia doctae ignorantiae*, che contiene la prima ed unica citazione esplicita del *De deo Socratis*, costituisce invece il termine *ante quem* di scrittura delle glosse al *De deo Socratis*. Questo dato di fatto può lasciare ragionevolmente supporre che Cusano, abbia impiegato, in un primo tempo, l'inchiostro verde effettuando una lettura cursoria del *Deo Socratis*, volta ad individuare solo gli elementi essenziali del testo[163], e di seguito una lettura attenta dell'*Asclepius* e del *De Platone et eius dogmate*. In un secondo momento, con l'inchiostro marrone è poi ritornato ad una lettura più approfondita del *De deo Socratis* e ha posto una nota al *De mundo*[164].

Note di provenienza (in ordine cronologico): a f. 2r (margine superiore): "Iste est liber hospitalis Sancti Nicolai prope Cusam", nota di possesso della biblioteca dell'Ospedale di Kues fondato da Nicola Cusano; a f. 1v (margine superiore destro): "+ Ms 63", segnatura del fondo dei Bollandisti di Antwerp; a ff. 2r e 75v, timbri di appartenenza con legenda: "BIBLIOTHEQUE NATIONALE" (Paris).

---

[162] A sostegno della tesi di una conoscenza diretta dell'*Asclepius* all'epoca del *De docta ignorantia* (1440) sembra muovere anche il riferimento ad *Ascl.* 21 (in *De doct. ign.* I 25 83, edd. Wilpert-Senger, PhB 264a, p. 104, 16–20), il quale non si dimostra tratto dalle principali fonti secondarie di Cusano: Lattanzio, Agostino, Teodorico di Chartres, Alberto Magno, Bertoldo di Moosburg, Eckhart, Bradwardine.

[163] Sul numero complessivo di 78 annotazioni marginali al *De deo Socratis*, 18 sono, infatti, scritte in verde, di cui 6 sono segni o 'nota' e 12 leggono: "Aristippus; quid homo; vide hic de demonibus; quid demon; sapientes in multis ad hariolos cursitant; differunt diuinacio et sapiencia; nota de visione demonum; nota quis homo deo similior; nota rogo istud si mente attingere vis deum, quid agendum; numquam interrrogatus an bene viuere scias negare audebis; nota hic descripcionem optimi equi; nota laudes".

[164] In un tale inchiostro di colore marrone, che la ricerca cusanistica attuale considera tipico del filosofo, è scritta anche un'unica annotazione ad *Ascl.* 21: "corruptus est textus" (*marg.* 78), che, denotando una rilettura del testo, mentre da un lato, conferma l'ipotesi dell'impiego successivo dell'inchiostro marrone, dall'altro, sembra parlare, per le ragioni predette, in favore dell'antichità dell'uso, fino ad oggi inattestato, dell'inchiostro verde. Ciò che sembra corroborare anche da un punto di vista strettamente paleografico la tesi di Vansteenberghe di una datazione 'alta' delle glosse compresa tra gli anni 1430–40.

Nella controguardia (margine superiore sinistro), etichetta con la segnatura: "10054–56" e, sotto, un'altra etichetta con la legenda: "BIBLIOTHEQUE ROYALE DE BELGIQUE. CABINET DES MANUSCRITS. FOND GÉNÉRAL. Inv. No: 10054–56. Cat. No: Thomas 180–183. Format: D".

Legatura moderna di cartone rigido rivestito in pelle di vitello di colore marrone. Decorazioni in oro sono presenti lungo i bordi dei piatti: all'esterno una cornice fiorata, all'interno una cornice ad intreccio di rombi, lungo i tagli piccole sfere cerchiate. Il dorso è diviso in sei spazi: il primo, in alto, contiene l'etichetta con la segnatura: "10054–56", il secondo il tassello con il titolo: "APULEIUS DE DEO SOCRATIS &c. XI SAEC.", il terzo spazio una decorazione con ghianda, il quarto uno stemma reale, i rimanenti la medesima decorazione a ghianda. A f. Ir (centro): è incollato un tassello con il titolo identico a quello presente sul dorso.

Contenuto:

f. 1r	<Schemi filosofici>[165]
f. 1v	<bianco>
ff. 2r-16v	*Apulei Platonici Madaurensis incipit De deo Socratis feliciter*
ff. 16v-38r	*Incipit Ermu Trismegiston Dehlera ad Asclipium adlocuta feliciter*
ff. 38v-60v	*De Platone et eius dogmate*
ff. 61r-75r	*De mundo*
f. 75r	*Ad epilenticos potionem sic facis*

---

[165] In una scrittura carolina del sec. XII diagrammi filosofici contenenti una definizione delle arti del trivio, della filosofia come *scientia humanarum et divinarum rerum* e definizioni metafisiche articolate secondo lo schema dell'albero di Porfirio, la partitione delle facoltà dell'anima e la *divisio philosophiae*, cf. Thomas, *Études sur la tradition manuscrite des oeuvres philosophiques d'Apulée*, p. 107.

Edizioni:

L'*editio princeps* dell'*opera omnia* di Apuleio e dell'*Asclepius* fu stampata a Roma nel 1469 per i tipi dei prototipografi romani Sweynheim e Pannartz e la cura filologica di Giovanni Andrea Bussi[166]. Gli interventi testuali del dotto umanista nel Bruxellensis 10054-56 lo rendono, pertanto, particolarmente importante come possibile fondamento dell'*editio Romana*. Le ricerche filologiche di Klibansky-Regen sembrano avere, tuttavia, individuato in altri mss. quel fondamento[167]. Questa circostanza si spiega in base alle volontà testamentarie, per le quali i libri e gli oggetti di Cusano dovevano essere inviati dopo la sua morte, che avvenne a Todi il 11 agosto 1464, all'Ospizio di Kues. Cinque anni dopo la morte di Cusano, Bussi non poteva più disporre di quel prezioso testimone su cui aveva incentrato il suo lavorio filologico, che esercitò comunque un significativo influsso sul processo di fabbricazione dell'*editio Romana*. Dal 1469 al 1788 la tradizione a stampa dell'*Asclepius* ha conosciuto complessivamente trentanove impressioni, di cui ventitrè unitamente alle opere di Apuleio[168].

Le più importanti edizioni critiche moderne degli *Opuscula* filosofici di Apuleio e dell'*Asclepius*:

1. *Apulei Madaurensis Opuscula quae sunt de philosophia*, recensuit Alois Goldbacher, Wien 1876.
2. *Apulei Platonici Madaurensis Opera quae supersunt, III. De philosophia libri*, recensuit Paulus Thomas, Leipzig 1908.

---

[166] Su questa edizione cf. la scheda n. 1 in Marsilio Ficino e il ritorno di Ermete Trismegisto, pp. 121–124 (cit. *supra* n. 89); C. Bianca, *Le cardinal de Cuse en voyage avec ses livres*, in R. De Smet (ed.), *Les humanistes et leur bibliothèques* (Bruxelles, 26–28 août 1999), Peeters -Leuven -Paris-Sterling (Virginia) 2002, pp. 25–36.

[167] Klibansky-Regen, *Die Handschriften der philosophischen Werke des Apuleius*, pp. 158–168 (Anhang 1).

[168] Una descrizione della tradizione a stampa antica dell'*Asclepius* è offerta dal censimento di Lucentini in P. Lucentini-V. Perrone Compagni, *I testi e i codici di Ermete nel Medioevo*, Firenze 2001, pp. 113–119.

3. *Hermetica. The Ancient Greek and Latin Writings which contain Religious or Philosophical Teachings ascribed to Hermes Trismegistus*, edited by W. Scott, Oxford I. *Asclepius* (1924), pp. 286–377 e III. *Notes on the Latin Asclepius* (1926), pp. 1–300.
4. *Corpus Hermeticum, II. Asclepius.* Texte établi par Arthur Darby Nock et traduit par André-Jean Festugière, Paris 1945, pp. 257–404.
5. Apulée, *Opuscules philosophiques (Du dieu de Socrate, Platon et sa doctrine, Du monde) et Fragments.* Texte établi, traduit et commenté par Jean Beaujeu, Paris 1973.
6. *Apulei Platonici Madaurensis Opera quae supersunt, III. De philosophia libri*, edidit Claudio Moreschini, Stuttgart-Leipzig 1991.

Storia del manoscritto: L'origine del codice di Bruxelles è stata, in un primo tempo, prudentemente collegata da Bischoff all'ambiente della biblioteca di corte di Ludovico il Pio e, in un secondo tempo, considerata indipendente. Più recentemente, gli studi di Reynolds, hanno però collocato il codice all'interno della rinascita carolingia intorno all'anno 830 circa. La seconda tappa della storia medievale del codice di Bruxelles guida verso gli ambienti culturali in cui agirono gli autori dei diagrammi filosofici e del rimedio contro l'epilessia scritti nel primo e ultimo foglio del manoscritto, datati paleograficamente ai secoli XI–XII. Verso la fine del Medio Evo, il manoscritto fu acquisito da Cusano, tra il 1430 e il 1440, e probabilmente, secondo Regen, nella regione tedesca tra il Reno e la Mosella. Tra il 1458 e il 1464, essendo incorporato nella biblioteca romana di Cusano, fu letto e corretto dal segretario umanista Giovanni Andrea Bussi. Il 6 agosto 1464 a Todi le volontà testamentarie di Cusano, redatte da Peter von Erkelenz e sottoscritte da Bussi, destinano i suoi libri alla biblioteca dell'Ospedale di San Nicola in Kues, segnando l'inizio della storia moderna del codice. Dopo la morte del Cardinale non si hanno, tuttavia, notizie precise. G. Mantese ha ritenuto di identificarlo in un inventario dei beni di Cusano redatto a Vicenza il 9 novembre 1464, ma questo dato è stato posto in dubbio da Klibansky e Regen[169]. Successivamente pare che Vulcanius (Bonaventura de Smet) lo abbia impiegato come il *vetustissimus codex* della sua edizione dell'Opera di Apuleio (Leiden 1594). In seguito, lo troviamo nel fondo dei Bollandisti di Antwerp. E dopo la soppressione della Compagnia di Gesù (1773) sotto Maria Teresa, divenne proprietà dello stato Asburgico e conservato nella Bibliothèque de Bourgogne nei Paesi Bassi. Nel 1794 i Francesi lo trasferirono nella Bibliothèque nationale a Parigi e, dopo la caduta di Napoleone, lo restituirono alla Bibliothèque de Bourgogne che, annessa alla Bibliothèque Royale mediante un decreto del 1838, divenne parte dell'attuale Bibliothèque Royale Albert 1er.

Bibliografia: Klibansky-Regen, *Die Handschriften der philosophischen Werke des Apuleius*, p. 61; Arfé, *The annotations of Nicolaus Cusanus and Giovanni Andrea Bussi on the Asclepius*, pp. 29–31.

---

[169] G. Mantese, *Ein Notarielles Inventar von Büchern und Wertgegenständen aus dem Nachlaß des Nikolaus von Kues*, MFCG, 2 (1962), p. 103, n. 132; Klibansky-Regen, *Die Handschriften der philosophischen Werke des Apuleius*, p. 60.

Nota editoriale

A. Il testo

a. Divisione del testo: l'estensione dei passi trascritti è stabilita in rapporto al contenuto dei singoli *marginalia* e alla numerazione tradizionale dei capitoli del testo.

b. Ortografia: si è seguita l'ortografia originaria del ms.[170]

c. Interpunzione: si è rispettata l'interpunzione originaria del ms.

d. Maiuscole/minuscole: le iniziali di parola si sono riprodotte secondo il ms., ma in assenza di interpunzione si sono sempre maiuscolizzate per segnalare l'inizio della proposizione seguente. In maiuscoletto si sono posti i toponimi, i nomi propri e loro derivati.

e. Interventi dei recensori posteriori: Tutti gli interventi della mano B^2, da me attribuita a Giovanni Andrea Bussi, non sono indicati, poiché scritti in un tempo successivo (1458–64) a quello in cui Cusano acquistò e annotò il ms. (1430–40). Per il resto degli interventi, non sempre distinguibili tra loro, si è adottata la seguente metodologia descrittiva:

1. se il recensore posteriore corregge il testo di B conducendolo a lezione giusta, si fornisce direttamente la lezione finale fornendo tra parentesi tonde l'indicazione della lezione originaria (*ex ... corr.*);

2. se il recensore posteriore corregge il testo di B con una lezione alternativa o peggiorativa, si fornisce la lezione originaria di B, e tra parentesi tonde si indica la correzione (*in ... corr.*).

f. Interventi di Cusano: si è adottata la medesima metodologia descrittiva dei recensori.

---

[170] Sull'ortografia del *Bruxellensis*, cf. Thomas, *Études sur la tradition manuscrite des oeuvres philosophiques d'Apulée*, p. 123–136.

g. *Interventi dell'editore*: Gli interventi editoriali sono generalmente di tipo conservativo e, ove necessario, sono scelti dalle lezioni stabilite nell'edd. Thomas e Moreschini per le opere di Apuleio e nell'ed. Nock-Festugière per l'*Asclepius*, e descritti come segue. Quando il testo di B reca errori testuali, si fornisce tra parentesi tonde, dopo l'indicazione *lege*, la lezione corretta. Le forme ortograficamente storpiate si segnalano con il segno del punto esclamativo tra parentesi tonde *(!)*. I termini e i passi corrotti sono delimitati con i segni †
... †, le lacune materiali e congetturali sono indicate rispettivamente con i segni *** e <***>. Le congetture dell'editore sono introdotte dal termine *fortassis*.

h. *I termini greci*: scritti in caratteri greci o latini sono trascritti letteralmente secondo la prassi prevalente del ms., cioè quelli scritti in caratteri greci nelle forme dell'alfabeto maiuscolo e quelli scritti in caratteri latini in minuscolo. In entrambi i casi segue tra parentesi tonde l'indicazione della lezione corretta in greco minuscolo.

B. Le annotazioni

a. *Ortografia*: si è rispettata l'ortografia di Cusano.

b. *Interpunzione*: si è riprodotta l'interpunzione di Cusano.

c. *Maiuscole/minuscole*: si è seguito l'uso di Cusano. In maiuscoletto si sono posti i toponimi, nomi propri e loro derivati.

d. *Abbreviazioni*: si sciolgono, ove possibile, secondo la prassi ortografica di Cusano.

e. *Segni marginali*: si sono riprodotti e descritti come nel *Conspectus siglorum*. Si sono invece sistematicamente omessi tutti i punti o i segni che non hanno uno speciale significato testuale, in quanto scritti da Cusano all'inizio di ciascuna annotazione per posizionare, puntando o circoscrivendo un preciso spazio del margine, la scrittura delle annotazioni. Tra questi elementi si distingue il segno di *paragraphus* rappresentato da una sorta di P maiuscola, che abbraccia tra i suoi tratti il testo della singola annotazione.

f. *Le correzioni di Cusano*: concernenti una o più lettere di una singola parola sono riprodotte fornendo l'intera parola nella forma emendata.

g. *Gli errori di Cusano*: l'errore corretto tra parentesi quadre [ ] nel *marginale* all'*Asclepius* 62 dipende da un'anomala applicazione del segno di abbreviazione. L'errore, invece, corretto tra parentesi tonde ( ) nel *marginale* al *De deo Socratis* 35 deriva da una distrazione occasionata dalla fine del foglio.

SECONDA PARTE:
EDIZIONE DELLE ANNOTAZIONI

CONSPECTVS SIGLORVM

B   Apulée, Opuscules Philosophiques (Du dieu de Socrate, Platon et sa doctrine, Du monde) et Fragments. Texte établi, traduit et commenté par Jean Beaujeu, Paris 1973

M   Apulei Platonici Madaurensis Opera quae supersunt, III. De philosophia libri, edidit Claudio Moreschini, Stuttgart-Leipzig 1991

NdC Nicolaus de Cusa

NF   Corpus Hermeticum, II. Asclepius. Texte établi par Arthur Darby Nock et traduit par André-Jean Festugière, Paris 1945, pp. 257–404

T   Apulei Platonici Madaurensis Opera quae supersunt, III. De philosophia libri, recensuit Paulus Thomas, Leipzig 1908

< > Integrazioni

[ ] Espunzioni

( ) Segnalazione delle varianti dei diversi recensori del testo e indicazioni esplicative dell'editore

signum Riferimento puntuale a un rigo del testo rappresentato da un disegno formato da due o più punti su una breve linea, es.: ·ı̣· ·i̓· ·ʃ̣

manicula   Riferimento puntuale a un luogo del testo rappresentato da un disegno di mano con indice allungato, es.: ☞

linea   Linea parallela al testo, perpendicolare al rigo di scrittura, recante l'indicazione tra parentesi tonde delle linee di scrittura interessate

*   Annotazioni scritte con inchiostro verde

APVLEI MADAVRENSIS

DE DEO SOCRATIS LIBER

at ego quo<d> ARISTIPPVS
dixit experiar; ARISTIPPVS ille
<CY>RENAICAE sectae reppertor
quodquem alebat *(lege* quod-
que malebat*)* ipse SOCRATIS
discipulus. eum quidam tyran-
nus rogauit. quid illi filosophiae
studium tam inpensum tamque
diutinum profuisset; ARISTIPPVS
respondit; ut cum omnibus in-
quit hominibus secure et intre-
pide fabularer;

1* ARISTIPPVS
signum

*(2ᵛ / Prol. II / T 2 / B 165 / M
2–3)*

et ex *(lege* est*)* hercule formido.
ne id mihi euenerit quod coruo
suo euenisse ESOPVS fabulatur.
id erit ne dum hanc nouam
laudem capto parum illam
quam ante peperi cogar amit-
tere; sed de apologo quaeritis
non pigebit aliquid fabulari;
coruus et uulpis unam offulam
simul uiderant. eamque raptum
festinabant. pari studio. inpari
celeritate uulpis cursu. coruus
uolatu; igitur ales bestiam praeuenit et secundo flatu propassis
utrimque pinnis praelabitur et
anticipataque ita praeda simul

2 fabula ESOPI
linea (1–17)

et uictoria laetus. sublime euectus in quadam proxima quercu
in summo eius cacumine tutus
sedit; eoque tamen uulpis quia
lapidem nequibat dolum iecit;
namque eandem arborem suc-
cessit. et subsistens cum super-
nae raptorem praeda ouandam
(lege ouantem*)* uideret laudare
astu adorta est; ne ego inscita
quae cum alite APOLLINIS frustra
certauerim. quippe cui iam pri-
dem corpus tam concinnum est.
ut neque oppido paruum neque
nimis grande sit. sed quantum
satis ad usum decoremque.
pluma mollis. caput argutum.
rostrum ualidum. iam ipse alis
persequax. oculis perspicax
unguibus pertinax; nam de
colore quid dicam? nam cum
duo colores praestabiles forent
piceus et niueus. *(3ᵛ)* quibus
inter se nox cum die differunt
utrumque colorem APOLLO suis
alitibus condonauit candidum
olori nigrum coruo; quod utinam
sicuti cygno cantum indulsit ita
huic quoque uocem tribuisset
ne tam pulchra ales quae ex
omni auitio longae praecellit
uoce uiduata deliciae facundi
dei muta uiueret et elinguis;

id uero ubi coruus audit hoc
solum sibi prae ceteris deesse
dum uult clarissime clangere
ut ne id hoc saltem olori con-
cederet oblitus offulae quam
mordicus retinebat toto rictu
hiauit adque ita quod uolatu
pepererat cantu amisit; enimuero uulpis quod cursu amiserat
astu recuperauit Eandem istam
fabulam in pauca cogamus
quantum fieri potest cohibiliter;
coruus ut se uocalem probaret
quod solum deesse tanta<e>
eius formae uulpis simulaue-
rat groccire adortus praedae
quam ore gestabat inductricem
conpot<i>uit.

(3ʳ⁻ᵛ / Prol. IV / T 3–4 / B 166–
68 / M 4–5)

PLATO omnem naturam rerum
quod eius ad animalia prae-
cipue pertineat trifariam diuisit.
censuitque esse summos deos.
summum medium et infimum
fac intellegas. non modo loci
disclusione. uerum etiam naturae dignitate quae et ipsa neque
uno neque gemino modo sed
pluribus cernit ordiri. tamen

3 (deos celestes PLATO SOLEM LU-
NAM et cetera posuit)

manifestius fuit ita loci dispositione; nam proinde ut maiestas
postulabat diis inmortalibus
caelum dicauit. quos quidem
deos caelites partim uisu usur-
pamus. alios intellectu uestiga-
mus; ac uisu quidem cernimus
uos o clarissima mundi lumina
labentem caelo quae ducitis an-
num; nec modo ista praecipua
diei opificem. LUNAMQUE SOLIS
aemulam. noctis decus. seu
corniculata seu diuidua seu
protumida seu plena sit. uaria
ignium face. quanto longius
facessat a SOLE. tanto *(ex* tanta
corr.) longius conlustrata pari
incremento itineris et luminis.
mensem suis auctibus ac dehinc
paribus dispendiis aestimans.
siue illa proprio seu perpeti
candore ut CHALDEI arbitrantur parte luminis conpos parte
altera cassa fulgoris. *(4ᵛ)* pro
circumuersione oris discoloris
multiiuga pollens speciem sui
uariat. seu tota proprii candoris
expers ali<e>nae lucis indicia
denso corporis et leui seu quodam speculo radiis solis obstitit
uel aduersi usurpat et ut uerbis
utar LVCRETI notam iactam *(lege*
iactat) de corpore lucem.

4 nota opinionem CHALDEORVM
LUNAM una parte candidam alia
non. et reuolui/
signum

5 LVCRECIVS

*(4ʳ⁻ᵛ / I / T 6–7 / B 20–21 / M
7–8)*

utraque harum uera sententia
est; nam hoc postea uidero;
tamen neque de LUNA neque
de SOLE quisquam GRECVS aut
barbarus facile cunctauerit deos
esse; nec modo istos ut dixi.
uerum etiam V stellas quae
uulgo uagae ab imperitis nuncupantur quae tamen indeflexo
et certo et stato *(ex* statio *corr.)*
cursu meatus longe ordinatis-
simos diuinis uicibus aeterno
efficiunt; uaria quippe cur-
riculi sui specie sed una semper aequabili pernicitate. tunc
progressus tunc uero [amens
tum autem] regressus mirabili
uicissitudine adsimulant pro
situ et flexu. et †abstituto†
circulorum quos probe callet
qui signorum ortus et obitus
conperit. in eodem uisibilium
deorum numero. cetera quoque
sidera qui cum PLATONE sentis
locato; ARCTVRVM PLVVIASQUE
HYADAS geminosque TRIONES
aliosque itidem radiantis deos
quibus caeli chorum comptum
et coronatum suda tempestate

6 v. planete dij sunt/

7 omnes stelle dij visibiles celiti/

uisimus pictis noctibus seuera
gratia toruo decori suspicientes
in hoc perfectissimo mundi ut
ait ENNIVS clipeo miris fulgori-
bus uariata celamina; est aliud   8 dij inuisibiles
deorum genus quod natura   *signum*
uisibus nostris denegauit. nec
non tamen intellectu *(5ʳ)* eos
rimabundi contemplamur acie
mentis acrius contemplantes;
quorum in numero sunt illi XII   9 xij dij inuisibiles
[numero] situ nominum in duo   *linea (11–23)*
uersus ab ENNIO coartati; IVNO   10 ENNIVS
VESTA MINERVA CERES DIANA   *(in marg. sin.)*
VENVS MARS. MERCVRIVS IOVIS
NEPTVNVS VVLCANVS. APOLLO.
ceterique id genus quorum
nomina quidem sunt nostris
auribus iam diu cognita. poten-
tiae uero animis coniectatae per   11 potencie deorum animis co-
uarias utilitates in uita agenda   niectate ex curis
animaduersae in his rebus. qui-   *manicula (in marg. sin.)*
bus eorum singuli curant;

*(4ᵛ–5ʳ / II / T 7–8 / B 21–22 / M
8–10)*

ceterum profana filosophiae   12 philosophia. deos neggligit.
turba inperitorum uana sancti-
tudinis praua uere rationis. i-
nops relegionis. inpos ueritatis.
scripolosissimo in occultu *(lege*

scrupulosissimo cultu). inso-
lentissimo spretu. deos negle-
git. pars in superstitione. pars in
contemptu timida uel tumida;
hos namque cunctos deos in
sublimi aetheris uertice locatos.
ab humana contagione procul
discretos. plurimi sed non rite
ue<ne>rantur. omnes sed inscie
metuunt. pauci sed impie dif-
fitentur; quos deos p[rae]lato
existimat naturas incorporales
animalis. neque fini ullo neque
exordio. sed prorsus ac retro
aeuiternas. <a> corporis contagione suaque natura remotas.
ingenio ad summam beatitudinem perfecto. nullius extrarii
boni participatione sed ex sese
bona<s>. et ad omnia conpeten-
tia sibi promptu facili. simplici
libero absoluto; quorum paren-
tumque omnium rerum domina-
tor adque auctor est. solutum ab
omnibus nexibus (5ᵛ) patiendi
aliquid gerendiue. nulla uice ad
alicuius rei mutua obstrictum;
cur ergo nunc dicere exordiar.
cum PLATO caelesti facundia
praeditus. aequiperabilia diis
immortalibus disserens. fre-
quentissime praedicet hunc
solum maiestatis incredibili

13 PLATO estimat deos illos nature
incorporalis etc.

14 omnium deorum vnus est domi-
nator et auctor absolutus ab
omnibus
15 deus deorum neque patitur
neque agit/

16 PLATO celesti facundia praeditus equiperabilia dijs immortalibus disserens/ hunc deum
ineffabilem ait/

quadam nimietate ineffabili
non posse penu[a]ria sermonis
humani quauis oratione uel
modice conpraehendi uix sapientibus uiris cum se uigori
animi quantum licuit a corpore
mouerunt intellectum huius dei;
id quoque interdum uel<ut> in
artissimis tenebris rapidissimo
coruscamine lumen candidum
intermicare;

*(5ʳ⁻ᵛ / III / T 8–10 / B 22–23 / M
10–11)*

sed nunc non de errorum disputatione sed de naturae distri-
butione disseremus/ *(IV)* igitur
homines ratione plaudentes.   17* quid homo
oratione pollentes. inmortalibus   *linea (1–8)*
animis. moribundis membris.
leuibus et anxi<i>s <m>entibus,
brutis *(6ʳ)* et obnoxiis corporibus. dissimillimis moribus.
similibus erroribus. peruicaci
audacia. pertinaci spe. casso
labore fortuna caduca. singillatim mortales. cuncti<m> tamen
universo genere perpetui. uicis-
sim sufficienda prole mutabiles.
uolucri tempore. tarda sapientia. cita morte. querula uita.

terras incolunt Habetis interim
bina animalia. deos ab hominibus plurimum differentis loci
sublimitate. uitae perpetuitate.
naturae perfectione. nullo inter
se propinquo communicatu.
cum ea habitacula summa in-
fimis tanta intercapedo fastigii
dispescat. et uiuacitas illic aeterna et indefecta sit. hic caduca et subsiciua. et ingenia illa
ad beatitudinem sublimata sint.
haec ad miserias infirmata Quid
igitur? nullone conexu natura se
uinxit sed in diuinam et huma-
nam partem <hiul>cam se et
interruptam ac ueluti debilem
passa est; nam ut idem PLATO
ait. nullus deus miscetur hominibus sed hoc praecipuum eorum sublimitatis specimen est
quod nulla adtrectatione nostra
contamina<n>tur. pars eorum
tantummodo obtutu hebeti
uisuntur ut sidera. de quorum
adhuc et magnitudine et colori-
bus homines ambigunt. caeteri
autem solo intellectu *(ex* sola
intellecta *corr.)* neque prompto
noscuntur *(ex* noscantur *corr.);*
quod quidem mirari super diis
immortalibus nequaquam con-
gruerit cum alioquin et inter

18 duo animalia dij et homines in
quibus differunt./

19 PLATO ait quod nullus deus miscetur hominibus.
linea (18–22)

20 dij alij oculo alij intellectu vi-
suntur/

homines qui fortunae munere
(6ᵛ) opulenti[a] elatus. et usque
ad regni nutabilem suggestum
et pendulum tribunal euectus
est. raro aditus. et longe remotis
(ex remotas *corr.)* arbitris. in
quibus<dam> dignitatis suae
penetralibus degens. parit enim
conuersatio contemptum. rari-
tas conciliat admirationem.

21 conuersacio parit contemptum
      raritas conciliat admiracionem.

*(5ᵛ–6ᵛ / IV / T 10–12 / B 24–25
/ M 12–13)*

si omnino homines a diis immortalibus procul reppelluntur.
adque ita in haec terrae tar-
tara relegantur. ut omnis sit
illis aduersus caelestes deos
communio denegata. nec quisquam eos e caelitum numero
uelut pastor uel aequis[iti]o
uel busequa. ceu balantium uel
hinnientium uel mugientium
greges interuisat qui ferocibus
moderetur. morbidis medea-
tur. egenis ˙opituletur. nullus
inquis *(ex* iniquis *corr.)* deus
humanis rebus interuenit; cui
igitur preces allegabo. cui uo-
tum nuncupabo. cui uictimam
caedam. quem miseris auxilia-

22 si non sunt commercia deorum
      quomodo curantur homines. cur
      fiunt vota et iuramenta etc.

23 *signum*

torem quem fautorem bonis.
quem aduersatorem malis in
omni uita ciebo. quem denique
quod frequentissimum est iuri
(in iure *corr.)* iurando arbitrum
adhibebo; an ut VERGILIANVS
ASCANIVS. per caput hoc iuro
per quod pater ante solebat.
at enim o IVLE pater tuus hoc
iure iurando uti poterat inter
TROIANOS stirpe cognatos et for-
tassean inter GRAECOS proelio
cognitos. at enim inter RVTVLOS
recens cognitos si nemo *(7ʳ)*
huic capiti crediderit quis pro
te deus fidem dicet. an ut [se]
ferocissimo MEZENTIO dextra et
telum. quippe haec sola aduene-
rat quibus propugnabat. dextra
mihi deus et telum. quod mis-
sile libro. apagesis tam cruentos
deos. dextram caedibus fessam.
telumque sanguine robigino-
sum. utrumque idoneum non
est propter quod adiures. neue
per ista iuretur. cum sit summi
deorum hic honor proprius
(ex propitius *corr.).* Nam et
ius iurandum IOVIS iurandum
dicitur ut ait ENNIVS. quid igitur censes Iurabo per IOVEM
lapidem ROMANO uetustissimo
ritu. adque *(in* atqui *corr.)* si

24 VERGILIANVS ASCANIVS.

PLATONIS uera sententia est
numquam se deum cum homi-
ne communicare. facilius me
audierit lapis. quam IVPPITER;

*(6ᵛ–7ʳ / V / T 12–13 / B 25–26 /
M 13–15)*

caeterum sunt quaedam diuinae
mediae potestates inter summum aethera et infimas terras.
in isto intersitae aeris spatio.
per quas et desideria nostra
et merita ad eos commeant.
hoc GRAECI *(in* greco *corr.)*
nomine daemonas *(δαίμονας)*
nuncupant. inter caelicolas
quae uectores hinc precum
inde donorum qui ultro citro
(in citroque *corr.)* portant. hinc
petitiones inde suppetias. ceu
quidam utri[u]sque interpretes
et saluti*(7ᵛ)*geri. per hos eosdem
ut PLATO in SYMPOSIO autumat.
cuncta denuntia<ta> et mago-
rum uaria miracula omnesque
praesagiorum species reguntur. eorum quippe de numero
praediti curant singuli. [eorum]
proinde ut est cuique tributa
prouincia. uel somnis confor-
mandis uel extis fissiculandis. uel

25 si PLATONIS uera sentencia
numquam deum cum homine
communicare facilius lapis
hominem quam IVPITER audiet/
soluit per medias potestates
deos hominibus communicare/
et sunt demones/

26 demonas

27* *linea (20–34)*

28* *manicula*

praepetibus gubernandis. uel
oscinibus erudiendis. uel uati-
bus inspirandis. uel fulminibus
iaculandis. uel nubibus corus-
candis. ceterisque adeo per quae
futura dinoscimus. quae cuncta
caelestium uoluntate et numine
et auctoritate. sed daemonum
obsequio et opera et ministerio
fieri arbitrandum est.

(7ʳ⁻ᵛ / VI / T 13–14 / B 26–27 /
M 15–16)

Horum enim munus adque
opera adque cura est. ut Hannibali somnia orbitatem oculi
commin[ar]entur. Flaminino
extispicia periculum cladis
praedicent. Attio Navio augu-
ria miraculum cotis addicant.
ita ut nonnullis regni futuri
signa praecu<r>rant. ut Tar-
qvinivs Priscvs aquila obum-
bretur ab apice. Servivs Tvl-
livs flamma conluminetur a
capite. postremo cuncta hari-
olorum praesagia. Tvscorvm
piacula. fulgoratorum bidenta-
lia. carmina Sybillarvm. quae
omnia ut dixi mediae quaepiam
potestates inter homines ac

29 nota hic que celestium deorum
auctoritate et demoniorum fiunt
obsequio/

30* *linea (1–11)*

deos obeunt. Neque enim pro maiestate deum caelestium fuerit. ut eorum quisquam uel HANNIBALI somnium *(ex* AN-NIBALIS omnium *corr.)* pingat. uel FLAMINIO hostiam conroget. uel ATTIO NAVIO auem *(ex* naui pauem *corr.)* uelificet uel SYBIL-LAE fatiloquia *(8ʳ)* uersificet. uel TARQVINIO uelit apicem rapere sed reddere. SERVIO uero inflammare uerticem nec exurere. non est operae diis superis ad haec descendere. mediorum diuorum ista sortitio est. qui in aeris plagis terrae conterminis nec minus confinibus caelo perinde uersantur. ut in quaque parte naturae propria animalia. in aethere uoluentia *(in* aethera uolantia *corr.)* in terra gradientia.

(7ᵛ–8ʳ / VII / T 14–15 / B 27–28 / M 16–17)

31 mediorum diuorum ista sorticio est/ qui in aere et cetera

nam quidem qui aues aeri attribuet *(in* attribuit *corr.)* falsum sententiae meritissimo dixeris. quippe [quae aues] nulla earum ultra OLYMPI uerticem sublimatur. qui cum excellentissimus

32 nulla auis ultra uerticem OLIMPI

omnium \<montium\> perhibea-
tur. tamen altitudinem *(8ᵛ)* per-
pendiculo si metiare ut geome-
trae autumant stadia altitudo
fastigii non aequiperat. cum sit
aeris agmen inmensum usque
ad citimam Lunae felicemque
(lege helicem quae*)* porro aetheris sursum uersus exortum
est; quid igitur tanta uis aeris
quae ab humillimis Lunae an-
fractibus usque ad summum
Olympi uerticem interiacet.
quid tandem. uacabitne animalibus suis adque erit ista naturae
pars mortua ac debilis.

*(8ʳ⁻ᵛ / VIII / T 16 / B 28–29 / M
18)*

33* vide hic de demonibus
(in marg. sup.)

34 ultra Olimpum et infra Lunam
regio magna non caret inhabi-
tatore./
(in marg. sup.)

temperanda *(ex* temperandae
corr.) ergo nobis pro loci medietate media natura ut ex re-
gionis ingenio sit etiam cultori-
bus eius ingenium; cedo igitur
mente formemus et gignamus
animo id genus corporum texta.
quae neque tam bruta quam
terrea. neque tam leuia quam
aetheria, sed quodam modo *(ex*
quod ad modo *corr.)* utrimque
seiugata. uel enim utrimque

commixta sint. *(9ʳ)* siue amo-
lita seu modificata utriusque rei
participatione. sed facilius ex
utroque quam ex neutro intelle-
gentur; habeant igitur haec
demonum corpora et modicum
ponderis ne ad superna *(ex
supernam corr.)* incedant *(ex
incedat corr.)*. aliquid leuitatis
ne ad inferna praecipitentur;

*(8ᵛ–9ʳ / IX / T 17 / B 29 / M
18–19)*

35 demones *(lege* daemonum*)* corpora habent modicum ponderis
et aliquid leuitatis prout ether
exigit liberatam medietatem
prout nubes corpora habere videntur.
linea (4–9)

dabo primum exemplum huius
liberatae medietatis; neque
enim procul ab hac corporis
subtilitate nubes concretas uidemus ... nunc enimuero pen-
dulae et mobiles huc adque illuc uice nauium in aeris pelago
uentis gubernantur. paululum
inmutantes proximitate et
longinquitate. quippe si aliquo
umore fecundae sunt. ueluti
ad fetum edendum deorsus
degrassantur *(ex degrassatur
corr.)*. adque ideo umectiores
humilius meant. aquilo[nis]
agmine tractu segniore[s].
sudis uero sublimior cursus et
cum lanarum uelleribus similes

36 pendule nubes
signum

37 humectiores nubes humilius
meant/
signum

aguntur. cano agmine uolatu perniciore; nonne audis quid super tonitru *(9ᵛ)* Lvcretivs facundissime disserat? principio tonitru quatiuntur caerula caeli; propter alia concurrunt sublime uolantes aetheriae nubes propugnantibus uen<t>is;

(9ʳ⁻ᵛ / X / T 17-18 / B 29–30 / M 19–20)

quod si nubes sublime uolitant quibus omnis et exortus e<s>t terrenus et retro defluxus in terras. qui<d> tandem censes demonum corpora quae sunt concreta *(lege* concretio) multo tanta subtilior; non enim ex hac feculenta nubecula tumida caligine conglobata sicuti nubium genus est. sed ex illo purissimo aeris liquido et sereno elemento coalita. eoque nemini hominum temere uisibilia nisi diuinitus speciem sui offer<an>t. quod nulla in illis terrena soli<di>tas locum luminis occuparit. quae nostris oculis possit obsistere; qua soliditate necessario offensa acies inmoretur. sed fila corporum possident rara et *(ex*

38 Lvcrecivs

39 subtiliora demonum corpora quam nubium/ et inuisibilia hominibus nisi diuinitus speciem sui afferant/ quia nulla terrena soliditas locum luminis occupat/

40 *linea (12–17)*

est *corr.)* splendida et tenuia
usque adeo. ut radios omnis
nostri tuoris et raritate transmit-
tant. splendore reuerbere<n>t.
et subtilitate frustrentur; hinc
est illa OMERICA MINERVA
quae mediis coetibus GRAIVM
cohibendo ACHILLI interuenit;
uersum GRAECVM si paulisper
opperiamini Latine nuntiabo.
adque adeo hic sit inpraesentiarum; MINERVA igitur ut dixi
ACHILLI moderando iussu Iu-
nonis aduenit. soli perspicua
est. aliorum nemo tuetur;

41 ·HOMERICA MINERVA·
signum

*(9ᵛ / XI / T 18-19 / B 30–31 / M
20–21)*

ac ne ceteros longius persequar ex hoc ferme daemonum
numero poetae solent haut-
quaquam procul a ueritate
osores et amatores quorundam
hominum deos fingere. et uere
illos secundum <prosperare et
euehere, illos contra> aduersari
et adfligere igitur et misereri et
indignari et angi et laetari om-
nemque humani animi faciem
pati simili motu cordis et salo
mentis ad omnes cogitationum

42 fingunt poete deos hominum
amatores. intelligit deos illos
esse demones/

estus fluctuare quae omnes
turbulae tempestatesque procul
a deorum caelestium tranquil-
litate exulant;

*(10ʳ / XII / T 20 / B 31–32 / M
22)*

Non potest enim subsequi illa
mutata ratio. sine praeceden-
tium infirmatione; quapropter
debet deus nullam perpeti uel
opis uel amoris temporalem
perfunctionem; et idcirco nec
indignatione nec misericordia
contingi. nullo *(10ᵛ)* angore
contrahi. nulla alacritate gestire.
sed ab omnibus animi passioni-
bus liber nec dolere *(ex* dolore
corr.) umquam. nec aliquando
laetari. nec aliquid repentinum
uelle uel nolle.

*(10ʳ⁻ᵛ / XII / T 20–21 / B 32 / M
22–23)*

43 deus nullam patitur opis uel
amoris temporalem perfunc-
cionem/
linea (1–6)

44 deus liber ab omni passione
animi non demon.
linea (8–14)

sed et haec cuncta et id genus
cetera. demonum mediocri-
tati rite congruunt; sunt enim
inter nos ac deos. ut loco
re[le]gionis. ita ingenio mentis

45* quid demon
linea (1–26)

intersiti habentes communem
cum superis inmortalitatem.
cum inferis passionem; nam
proinde ut nos pati possunt omnia animarum placamenta uel
incitamenta. et ira incitentur et
misericordia flectuntur. et donis
inuitentur et praecibus lenian-
tur. et honoribus mulceantur
aliisque omnibus ad similem
nobis modum uarient; quippe ut
fine conprehendam. daemones
(ex daemonas *corr.)* sunt genere
animalia. ingenio rationabilia.
animo passiua. corpore aeria.
tempore aeterna; ex his quinque
quae commemoraui. tria a principio aedam *(lege* eadem*)*. quae
nobis[cum]. quartum proprium.
postremum commune cum
diis inmortalibus habent; sed
differunt ab his passione quae
propterea passiua non absurde
ut arbitror nominaui. quod sunt
hisdem quibus nos turbationi-
bus mentis obnoxii;

*(10ᵛ / XIII / T 21–22 / B 32–33
/ M 23)*

unde etiam religionum diuersis
obseruationibus et sacrorum

46* *NdC pinxit vultum humanum
(11–17)*

uariis suppliciis *(ex* supplicis *corr.)* fides inpertienda est. etsi nonnullos ex hoc diuorum numero qui nocturnis uel diurnis promptis uel occultis. laetioribus uel tristioribus hostiis uel caerimoniis uel ritibus gaudeant. uita *(lege* uti*) (11ʳ)* AEGYPTIA numina ferme plangoribus. GRAECA plerumque choreis. barbara aut strepitu cymbalistarum et tympanistarum et coraularum; itidem pro regnonibus *(!)* et cetera in sacris differunt. longe uarietate pomparum agmina mysteriorum silentia. sacerdotum officia. sacrificantium obsequia. item deorum effigiae *(in* effigies *corr. NdC)* et exuuiae templorum. religiones et regiones hostiarum cruores et colores. quae omnia pro cuiusce more loci sollemnia et rata sunt. ut plerumque somniis et uaticinationibus et oraculis conperimus saepenumero indignata numina. si quis *(lege* quid*)* in sacris socordia uel superbia neglegatur; cuius generis mihi exempla affatim suppetunt. sed adeo celebrata et frequentata sunt. ut nemo ea commemorare adortus sit. quin multo plura omiserit quam recensuerit;

47 EGIPCIA numina plangoribus. GRECA choreis barbara strepitu. aut cymbalis et cetera placantur
linea (7–12)

48 conperimus indignata numina. etc.

*(10ᵛ–11ʳ / XIV / T 22 / B 33–34
/ M 23–24)*

nam quodam significatu et
animus humanus etiam nunc
in corpore situs demon nuncupatur. diine hunc ardorem.
m<entibus> a<ddunt. EVRY-
ALE, an sua cuique deus fit dira
cupido?> igitur et bona cupido animi *(11ᵛ)* bonus deus est;
unde nonnulli arbitrantur ut iam
prius dictum est eudemonas
(εὐδαίμονας) dici beatos. quorum demon bonus id est animus
uirtute perfectus est. cum nostra lingua ut ego interpraetor
<h>aut sciam an bono cer<te>
quidem me<o> periculo poteris
genium uocare. quod is deus
qui est animus sui cuique quamquam sit immortalis. tamen
quod aut modo *(lege* quodam
modo)* cum homine gignitur ut
hae[c] praeces quibus genium
et genua preca<n>tur coniunc-
tionem nostram. nec sunt quae
uideantur mihi obtestari corpus
adque *(in* atque *corr. NdC)* animum duobus nominibus con-
praehendentes quorum com-
munio et copulatio sumus; est

49 bona cupido animi bonus deus
   est/ *(fol. 11ᵛ)*

50 eudemonas dici beatos. quorum
   demon bonus id est animus vir-
   tute perfectus est/

51 genius
52 deus qui est animus.

et secundo significatu species demonum animus humanus emeritis stipendiis uitae. corpore suo abiurans; hunc uetere Latina lingua repperio LAEMU-RUM dictitatum; ex hisce ergo LAEMURIBUS quo posteriorum suorum curam sortitus placato et quieto numine domum possidet LAR <dicitur> familiaris. qui uero ob aduersa uitae meri-ta nullis bonis sedibus incerta uacatione ceu quodam exilio ponitur. inane terriculamentum bonis hominibus ceterum malis noxium. id genus. plerique LARUAS perhibent; cum uero incertum est. quae cuique eorum sortitio euenerit. utrum LAR sit an Larua nomine; MANEM deum nuncupant scilicet et honoris gratia dei uocabulum additum est. quippe tantum eos deos appellant *(12ʳ)* qui ex eodem numero iuste ac prudenter curriculo uitae gubernato praenomine postea <ab> hominibus praediti fanis et caerimonis uulgo aduertuntur ut in BOETIA ANFIAREVS *(in* AN-PHIAREVS *corr. NdC).* in AFRICA MOPSVS. in AEGYPTO OSIRIS. a-

53 LEMURUS

54 LAR

55 LARUA. quodam exilio ponitur/

56 MANES. quando incertum an LAR uel LARUA./
   linea (18–24) et manicula

57 nota qui appellantur dij.

58 ANPHIAREVS
   MOPSVS
   OSIRIS
   ESCVLAPIVS
   signum

lius alibi gentium. AESCVLAPIVS
ubique;

*(11ʳ–12ʳ / XV / T 23–24 / B
34–35 / M 25–26)*

sunt autem non posteriore
numero praestantiori *(lege
praestantiore)* longe dignitate
superius aliud augustius genus
daemonum. qui semper a corporis conpedibus et nexibus
liberi. certis potestatibus curant Quorum e numero Somnus
adque Amor diuersam inter se
uim possident *(ex possideant
corr.).* Amor uigilandi[s]. Somnus soporandi Ex hac igitur
sublimiore demonum copia.
PLATO autumat singulis hominibus in uita agenda testes et
custodes [singulis] additos. qui
nemini conspicui semper adsint
arbitri. omnium non modo acto-
rum uerum etiam cogitatorum;
at *(ex* ad *corr.)* ubi uita edita
remeandum est. eundem illum
qui nobis praeditus fuit raptare
ilico et trahere ueluti custodiam
suam ad iudicium. atque illic in
causa dicunda adsistere. si qua
(ex quae *corr.)* commentiatur

59　*linea (8–13)*

60　nota opinionem PLATONIS quod
homini demones assistunt et
cetera concordant pene omnes
secte in hoc/ eciam SARRACENI
sic dicunt/ etc. scilicet bonos
et malos. angelos seu demones.
aut angelum et demonem. et
semper idem est/ etc.

redarguere. si qua uera dicat adseuerare. prorsus illius testimonio ferri sententiam. Deinde uos omnes qui hanc PLATONIS diuinam sententiam me interpraete auscultatis. ita animos uestros ad quaecumque agenda uel meditanda formate. ut sciatis nihil homini *(12ᵛ)* prae istis custodibus ni intra animum nec foris esse secreti. quin omnia curiose ille participet omnia uiset et omnia intellegat. in ipsis penitissimis mentibus uice conscientiae deuersetur; hic quem dico prorsus custos singularis praefectus domesticus speculator. proprius curator. intimus cognitor. adsiduus obseruator. indiuiduus arbiter. inseparabilis testis. malorum inprobatur *(lege* inprobator)*. bonorum probator. si rite animaduertatur saedulo cognoscator *(lege* cognoscatur)* religiose colatur ita ut a SOCRATE iustitia et innocentia cultus est. in rebus incertis prospector. dubiis praemonitor. periculosis tutator. egenis opitulator. qui tibi quaeat tum insomni<i>s tum signis tum etiam fortasse coram cum usus postulat mala autruncare *(lege* auerruncare)*.

61 nota. quid operatur demon custos hominis/

62 nota dicit demonem homini assistentem esse malorum inprobatorem etc. et ita demon est angelus bonus
manicula

63 in dubijs premonitor
linea (27–29)

bona prosperare. humilia subli-
mare. nutantia fulcire. obscura
clarare. secunda regere. aduersa
corrigere.

*(12ʳ⁻ᵛ / XVI / T 24–26 / B 35–37
/ M 27–28)*

multa sunt enim /multa\ quibus
etiam *(13r)* sapientes uiri ad
hariolos et oracula cursitent; at
(lege an*)* non apud HOMERVM.
ut <in> quadam *(lege* quodam*)*
ingenti speculo clarius *(ex
claritus corr.)* cernis haec duo
distributa. seorsus diuinationis.
seorsus sapientiae officia. Nam
cum duo columina totius e-
xercitus dissident. AGAMEMNON
regno pollens et ACHILLES bello
potens. desideraturque uir facundia laudatus et peritia[m]
memoratus. qui ATRIDAE su-
perbiam sed et *(lege* sedet*)*.
PELIDE ferociam compescat.
adque eo<s> auctoritate aduer-
tat. exemplis moneat. oratione
permulceat; quis *(ex* quid *corr.)*
igitur tali in tempore me<dius>
ad dicendum exor[ta]tus est?
nempe PHYLIVS orator. eloquio
comis. experimentis catus.

64* sapientes in multis ad ariolos
cursitant

65* differunt diuinacio et sapien-
cia/

66* nota.
linea (23–28)

senecta uenerabilis. cui omnes
sciebant corpus annis habere.
animum prudentia uigere. uerba
dulcedine a<d>fluere;

*(12ᵛ–13ʳ / XVII / T 26–27 / B
37–38 / M 29)*

enimuero cum ab AVLIDE de-
sedibus et obsessis ac taedio
abnuentibus difficultas belli et
facultas itineris et tranquillitas
maris et clementia uentorum
per fibrarum notas et alitum uias   67 per fibrarum notas et alitum
et serpentium escas exploran-   vias et serpencium escas etc.
dae. tacent nempe mutuo duo
illa sapientiae graiae summa
cacumina, ITHACENSIS et PYLIVS.
CALCHAS autem longe praesta-   68* nota
bilis hariolari simul alites et   *linea (9–13)*
altaria et arborum contemplatus
est actum. sua diuinatione *(13ᵛ)*
et tempestates flexit et classem
deduxit. decennium praedixit.

*(13ʳ⁻ᵛ / XVIII / T 27–28 / B 38
/ M 30)*

quod autem incepta SOCRATIQVE
piam *(lege* SOCRATIS quaepiam*)*
demon[um] ille ferme prohibi-

tum ibat numquam adhortatum quod ad modo *(lege* quodammodo*)* ratio praedicta est; enim *(in* enimuero *corr.)* SOCRATES utpote uir adprimae perfectus ex sese ad omnia congruentia sibi officia prom\<p\>tus. nullo adortatore umquam indigebat; at *(ex* ad *corr.)* uero prohibitore nonnumquam. si quibus forte conatibus eius periculum suberat ut monitus praecaueret omitteret coepta. inpraesentiarum quae totius. uel potius capesseret. uel alia uia adoreretur;

69 SOCRATES adhortatore numquam indigebat sed bene prohibitore/

(13ᵛ / XIX / T 28 / B 39 / M 31)

quod equidem arbitror non modo auribus eum uerum etiam oculis signa demonis sui usurpasse; nam frequentius non [prae] uocem sed signum diuinum sibi oblatum prae se ferebat; *(14ᵛ)* id signum potest et ipsius demonis species fuisse quam solus SOCRATES cerneret. ita ut HOMERICVS ACHILLES MINERVAM; credo plerosque uestrum hoc quod commodo dixi cunctantius credere et inpendio mirari formam dae-

70* nota de visione demonum/

monis Socrati uisitatam. at
enim †secundum† Pytagoricos
mirari oppido solitos si quis
se negaret umquam uidisse
demonem satis ut reor idoneus
auctor est Aristotelis; quod si
cuiu<i>s potest euenire facultas contemplandi diuinam
effigiem; cur non adprime po-
tuerit Socrati optingere. quem
cuiu<i>s amplissimo numini
sapientiae dignitas coaequarat?
Nihil est enim deo similius.
et gratius. quam uir animo
perfecte bonus. qui hominibus
ceteris antecellit quam ipse a
diis immortalibus distat;

*(14ʳ⁻ᵛ / XX / T 30–31 / B 40–41
/ M 32–33)*

et nihil aeque miror. quam cum
omnes et cupiant optime uiuere.
et sciant non alia re quam animo
uiui. nec fieri posse quin <ut>
optime uiuas animus colen-
dus sit. tamen animum suum
non colant; at *(ex ad corr.)* si
quis uelit acriter cernere oculi
curandi sunt quibus cernitur.
si uelis perniciter currere pedes
curandi sunt quibus curritur. ut

71 nota. hoc. quomodo Pytagorici
mirati sunt si quis dicebat se demonem non vidisse usquam.
linea (6–8)

72* (nota quis homo deo similior)

73* nota rogo istud si mente. attingere vis deum ·quid agendum·

idem si pugillare ualde uelis.
brachia uegetanda sunt. *(15ʳ)*
quibus peruigilatur; similiter
in omnibus ceteris membris sua
cuique cura pro studio est. quod
cum omnes facile perspiciant.
nequeo satis mecum reputare
et proinde ut res est. admirari.
cur non etiam animum suum ratione excolant; quae quidem ratio uiuendi omnibus aeque necessaria est; non ratio pingendi.
nec ratio psallendi. quas quiuis
bonus uir sine ulla animi uitu-
peratione. sine turpitudine. sine
labore contempserit; nescio ut
<I>smenias tibiis canere. sed
non pudet me tibicinem non
esse. nescio ut Appelles colo-
ribus pingere. sed non pudet
me non esse significum *(lege*
significem*)*. et idem in ceteris
artibus ne omnis persequar licet
tibi nescire nec pudeat;

(14ᵛ–15ʳ / XXI / T 31–32 / B
41–42 / M 33–34)

74* *linea (5–24)*

enimuero dic sodes nescio bene
uiuere ut Socrates ut Plato ut
Pytagoras uixerunt nec pudet
me nescire bene uiuere. num-

75* numquam interrogatus an bene
viuere scias negare audebis/
linea (1–11)

quam hoc dicere audebis; sed
cumprimis *(cum eras.)* miran-
dum est quod ea quae minime
uideri uolunt nescire. discere
tamen neglegunt. et eiusdem
artis disciplinam simul et ig-
norantiam detrectant. Igitur co-
tidiana eorum aera dispungas.
inuenias in rationibus multa
prodige profusa. et in semet nihil. in sui dico demonis cultum;
qui cultus non aliud quam filosofiae sacramentum est; plane
quidem uillas opipare extruunt.
et domos ditissime exornant. et
familias numerosissime con-
parant; sed in istis omnibus tanta a<d>fluentia rerum nihil est
praeterquam ipse dominus pu-
dendam *(lege* pudendum*)*; nec
iniuria Cumulata enim habent
(15ᵛ) quae sedulo percolunt
ipsi autem horridi. indocti in-
cultique circumeunt; igitur illa
species in quae *(in* quas *corr.)*
patrimonia sua profuderunt
amoenissima et exstructissima
et ornatissima deprehendas;
uillas emulas urbium conditas
domus. uice templorum exorna-
tas. familias numerosissimas et
calamistratas. opiparam suppel-
lectilem. omnia <ad>fluentia

76 familias calamistratas. nota an-
tiquitus usum fuisse uti hodie in
Avstria. quo ad capillos. etc.

omnia opulentia omnia ornata praeter ipsum dominum. qui solus TANTALI *(tan eras.)* uice in suis diuitiis inops egens pauper non quidem fluentem illum fugitiuum captat et fallacis undae sitim. sed uere beatitudinis id est secundae uitae et prudentiae fortunatissimae esurit et sitit; quippe non intellegit aeque diuites spectari solere ut equos mercamur.

(15ʳ⁻ᵛ / XXII / T 32–33 / B 42–43 / M 34–36)

neque enim in emendis equis faleras consideramus et baltei polimina inspicimus et ornatissimae ceruicis diuitias contemplamur. si ex auro et argento et gemmis monilia uarie gaza *(lege uariegata)* depende<n>t. si plena artis ornamenta capite *(lege capiti)* et collo circumiacent. si frena caelata. si eppippia *(!)* fucata singula *(lege cingula)* aurata sunt. sed istis omnibus exuuiis amolitis equ<u>m ipsum nudum et solum corpus eius et animum contemplamur. ut sit et ad speciem honestus

77* nota hic descripcionem optimi equi.

et ad cursuram uegetus et ad
uecturam ualidus. iam primum
in corpore si sit argutum caput.
breuis aluus. obesaque terga
luxuriatque toris animosum
pectus honesti, praeterea si
duplex agitur per lumbos spina;
volo enim non modo perniciter
verum etiam mol(*16ʳ*)liter per-
uehat;

*(15ᵛ–16ʳ / XXIII / T 33–34 / B
43 / M 36)*

quin igitur et tu ad studium
sapientiae ingeris uel properas
altum ut nihil alienum in laudibus tuis audias sed ut qui te
uolet nobilitare. aeque laudet
ut Accivs Vlixen laudauit in   78* nota laudes
Filotecta suo in eius tragoedio
(lege tragoediae*)* principio;

*(16ʳ / XXIV / T 35 / B 44 / M
37).*

HERMETIS TRISMEGISTI

ASCLEPIVS

tractatum hunc autem tuo scri-
bam nomine *(scil.* Asclepio*)*;
praeter Hammonam nullum uo-
cassis alterum. ne tantae rei religiosissimus sermo multorum
interuentu praesentiaque uio-
letur Tractatum enim tota numinis maiestate plenissimum.
inreligiosis *(lege* inreligiosae*)*
mentis est multorum conscien-
tia publicare Hammona etiam
adytum ingresso sanctoque illo
quattuor uirorum religione et
diuina dei conpleto praesentia.
conpetenti uenerabiliter silentio
ex ore Hermv. animis *(ex* animi
corr.) singulorum mentibusque
pendentibus diuinus Cvpido sic
est orsus dicere.

1* nota quomodo caute antiqui
sacra tractabant.
linea (3–11) et pictura vultus
humani (in marg. sin.)

(17ʳ/ 1 / T 37 / NF 297 / M 40)

O Asclepi omnis humana inmortalis est anima. sed non
uniformiter cunctae sed aliae
alio more uel tempore. *(inter-*
rogatio* s. lin. scr. NdC) Non
enim o Trismegiste omnis unius
qualitatis est anima *(responsio**
s. lin. scr. NdC). O Asclepi ut
celeriter de uera rationis conti-
nentia *(17ᵛ)* decidisti. Non enim

2* nota. de immortalitate anime.

hoc dixi omnia unum esse. et unum omnia. utpote qui *(lege quae)* in creatore fuerint omnia antequam creasset omnia Nec inmerito ipse dictus est omnia. cuius membra sunt omnia Huius itaque qui est unus omnia uel ipse est creator omnium in tota hac disputatione curato meminisse De caelo cuncta in terram et in aquam et in aera. ignis solum quod sursum uersus fertur uiuificum quod deorsum ei deseruiens At uero quidquid de alto descendit generans est. quod sursum uersus emanat nutriens Terra sola in se ipsa consistens omnium est receptrix omniumque generum quae accepit restitutrix. hoc ergo totum sicut meministi quod est omnium uel omnia Anima et mundus a natura conpraehensa agitantur. ita omnium multiformi imaginum equalitate uariata. ut infinitae qualitatum ex interuallo species esse noscantur. adunatae tamen ad hoc ut totum unum et ex uno omnia esse uideantur;

3* quid de alto descendit est generans. quid sursum est nutriens. *linea (13–17)*

4* nota quomodo totum unum ex uno.

(17ʳ⁻ᵛ / 2 / T 37–38 / NF 297–298 / M 40–41)

totus itaque quibus formatus est
mundus elementa sunt quattuor.
ignis. aqua terra. aer. mun-
dus unus. anima una. et deus   5* ·anima· vna·
unus. Nunc mihi adesto totus
quantum mente uales. quantum
calles astutia; diuinitatis etenim
ratio diuina sensus intentione   6* nota.
noscenda. torrenti simillima
est fluuio e summo in pronum
praecipiti rapacitate currenti[s];
quo efficitur ut intentionem
nostram non solum audientium
uerum tractant<i>um ipsorum
celeri uelocitate praetereat.

(17ᵛ / 3 / T 38 / NF 298–299 /
M 41)

multiformis enim uariaque
generis humani species et ipsa
a praedicta[e] desuper ueniens
consortio omnium aliarum specierum multas et prope omnium
per necessita-tem coniunctiones
facit; propter quod et prope   7* nota quomodo homo qui mente
deos accedit. qui se mente qua   deo iunctus est in deum diuina
diis iunctus est diuina religione   religione transfertur/ similiter
diis iunxerit et demo[nio]num   et in demonem et si medietate
qui his iunctus est. humani uero   generis sui contentus est homo
qui medietate *(19ʳ)* generis sui   est etc.
contenti sunt et reliquae homi-   *linea (3–12) et manicula*

nis species his similes erunt
quorum se generis speciebus
adiunxerint;

*(18ᵛ–19ʳ / 5 / T 40 / NF 301 / M
43–44)*

propter haec O Asclepi magnum miraculum est homo. animal adorandum atque honoran-
dum; hoc enim in natura<m> dei
transit. quasi ipse sit deus; hoc
demonum genus nouit. utpote
qui cum hisdem se ortum esse
cognoscat *(in* cognoscit *corr.)*.
hoc humanae naturae partem in
se ipse despicit. alterius partis
diuinitate confisus. o hominum
quanta est natura temperata
felicius Diis cognata diuinitate
coniunctus est. partem sui qua
terrenus est intra se despicit;
cetera omnia quibus se necessarium esse celesti dispositione
cognoscit nexu secum caritatis
adstringit. suspicit caelum; sic
ergo feliciore loco medietatis
est positus. ut quae infra se
sunt diligat ipse. a se superioribus diligatur. colit terram.
elementis uelocitate miscetur.
acumine mentis maris profunda

8* nota quomodo in se ipso terrena
despicit et secundum partem
deiformem se eleuat/

9* nota bene rogo pulchra sunt
ista.

descendit. omnia illi licent. non caelum *** uidetur altissimum; quasi e proximo enim animi sagacitate metitur *(ex* mentitur *corr.).* intentionem animi eius nulla aeris caligo confundit. non densitas terrae operam eius inpedit *(ex* inpediet *corr.).* non aquae altitudo profunda despectum eius obtundit. omnia idem est et ubique idem est. horum omnium generum quae sunt animalia desuper deorsum radices peruenientes habent. Inanimalium autem de imo in superna uiua radice siluescunt; quaedam autem duplicibus aluntur alimentis. quaedam simplicibus; alimenta autem sunt bina *(19ᵛ)* animi et corporis. e quibus animalia constant; anima mundi inquieta* *(ex* inqui&a *s. lin. ind. NdC)* semper agitatione nutritur. corpora ex aqua et terra inferioris mundi alimentis augescunt; spiritus quo plena sunt omnia permixtus cunctis cuncta uiuificat. sensu addito ad hominis intellegentiam; quae quinta pars sola *(in* soli *corr.)* homini concessa est ex aethere; sed de animalibus cunctis humanos tantum

10* anima mundi nutritur ex motu.

11* spiritus permixtus cunctis cuncta viuificat/.

12* dicit sensum homini ex etheri ad intelligenciam solum concessum.

sensus ad diuinae rationis intellegentiam exornat; erigit at
quae *(lege* atque*)* sustollit *(ex*
sustollet *corr.).* sed quoniam de
sensu commoneor dicere paulo
post et huius rationem uobis
exponam; est enim sanctissima
et magna et non minor quam
ea quae est diuinitatis ipsius;
sed nunc uobis expediam quae
coeperam;

13* nota quanta est racio humana./

*(19ʳ⁻ᵛ / 6 / T 40–41 / NF 301–03
/ M 44–45)*

Non enim omnium hominum o
Trismegiste uniformis est sensus. non omnes O Asclepi intellegentiam ueram adepti sunt
sed imaginem temerario inpetu
nulla uera inspecta ratione
sequentes decipiuntur. quae
in mentibus malitiam parit. et
transformat optimum animal
in naturam ferae moresque
beluarum. de sensu autem et
de omnibus similibus quando
et de spiritu tunc totam uobis
prestabo rationem. Solum enim
animal homo duplex est et eius
una pars simplex. *(20ʳ)* quae
ut Graeci aiunt OYCIΩΔHC

14* nota quomodo per ymagines
decipitur racio

(οὐσιώδης) quam uocamus diuinae similitudinis formam; est autem quadruplex quod ΥΛΙΚΟΝ (ὑλικόν) Greci nos mundanum dicimus. e quo factum est corpus quo circumtegitur illud quod in homine diuinum esse iam diximus. in quo mentis diuinitas tecta sola cum cognatis suis id est mentis purae sensibus secum ipsa conquiescat tamquam muro corporis septa; (interrogatio* s. lin. scr. NdC) quid ergo oportuit o Trismegiste hominem in mundo constitui. et non in ea parte qua deus est eum in summa beatitudine degere (ex degerem corr.)? (responsio* s. lin. scr. NdC) rectae quaeris O Asclepi. et nos enim deum rogamus tribuat nobis facultatem reddendae rationis istius. cum enim omnia ex eius uoluntate dependeant. tum illa uel maxima quae de tota summitate tractantur; quam rationem praesenti disputatione conquirimus.

(19ᵛ–20ʳ / 7 / T 42–43 / NF 303–304 / M 45–46)

15* ·nota corpus carcer anime·

16* omnia ex dei voluntate/

audi ergo ASCLEPI; dominus et omnium conformator quem recte dicimus deum, quo<m> a se secundum fecerit. qui uiderit et uiderten possit *(lege* uideri et sentiri possit)* eundem secundum sensibilem ita dixerim non ideo quod ipse sentiat. de hoc enim an ipse sentiat an non. alio dicemus tempore. sed eo quoniam uidentium sensus incurrit. quoniam ergo hunc facit ex se primum et a se secundum uisusque ei pulcher utpote qui sit omnium bonitate plenissimus. amauit eum ut diuinitatis partem suae;

17* nota quomodo deus de deo.

(20ʳ / 8 / T 43 / NF 304–305 / M 46)

placitae *(lege* placitum)* enim dei necessitas sequimur *(lege* sequitur)*. uoluntatem comitatur effectus; neque enim credibili *(lege* credibile)* est deo displiciturum esse quod placuit. cum et futurum id et placiturum multo ante sciuerit;

18* nota bene non posse deo – displicere quod semel placuit

(20ᵛ / 8 / T 44 / NF 306 / M 47)

Is *(scil.* homo*)* nouit se. nouit et
mundum. scilicet ut meminerit
quid partibus conueniat suis.
quae sibi utenda. quibus sibi
inseruiendum sit recognoscat.
laudes gratesque maximas
agens deo. eius imaginem
uenerans non ignarus se etiam
secundum esse imaginem dei.
cuius sunt .imagines duae.
mundus et homo;

19* homo ad dei ymaginem/ sicud
eciam mundus

*(21ᵛ / 10 / T 45–46 / NF 308 /
M 49)*

nam ut homo ex utraque
parte possit esse plenissimus
quaternis eum utriusque partis
elementis animaduerte esse
formatum manibus et pedibus
utrisque binis aliisque corporis
membris quibus inferiori id est
terreno mundo deseruiat; illis
uero partibus quatuor animi
sensus memoriae atque prouidentiae quarum ratione cuncta
diuina norit atque suspiciat;

20* homo plenissimus nota
linea (2–6)

*(22ʳ / 11/ T 47/ NF 309–310 /
M 50)*

talem *(scil.* hominem*)* quo
munere credis esse muneran-
dum. siquidem cum dei o-
pera sit mundus *(ex* mundum
corr.). eius pulchritudinem qui
diligentia seruat atque auget. o-
peram suam cum dei uoluntate
congungit. cum speciem quam
ille diuina intentione formauit.
adminiculo sui *(22^v)* corporis
diurno opere curaque conponit.
nisi eo quo parentes nostri
munerati sunt. quo etiam nos
quoque munerari si foret diuinae pietati conplatium *(lege*
complacitum*)* optamus piis-
simis uotis. id est ut emeritos
atque exutos mundana custodia. nexibus mortalitatis absolutos. naturae superioris partis
id est diuinae puros sanctosque
restituat?

*(22^{r-v} / 11 / T 47 / NF 310 / M
50–51)*

21* nota pulcherrimam oracionem.
linea (13–22)

iuste et uere dicis o TRISME-
GISTE. haec est enim merces
pie sub deo. diligenter cum
mundo uiuentibus. secus enim
impieque qui uixerint. et reditus denegatur in caelum. et

constituitur in corpora alia
indigna animo sancto et foeda
migratio;

22* – nota opinionem de –
migracione animarum

(22ᵛ / 12 / T 48 / NF 311 / M 51)

deus ergo sempiternus *(ex* sem-
piternum *corr.)* deus aeternus.
nec nasci potest nec potuit. hoc
est hoc fuit hoc erit semper;
haec ergo est quae ex se tota est
natura dei;

23* natura dei ex se tota est/

(23ᵛ / 14 / T 50 / NF 313 / M 53)

sic ergo et mundus quamuis
natus non sit. in se tamen omnium naturas habet. utpote qui
his omnibus ad conspiciendum
fecundissimos sinus praestet;

24* nota dicit mundum non. natum
sed nascibilem/

(23ᵛ / 15 / T 50 / NF 314 / M 54)

prouisum cautumque est quantum rationabiliter potuisset a
summo deo tunc cum sensu.
disciplina. intellegentia. mentes

hominum est munerare dignatus
Hisce enim rebus quibus ceteris
antestamus animalibus. solis
possumus malitiae fraudes.
dolos. uitiaque uitare; ea enim
qui antequam his inplicitus est
ex aspectu uttarit *(lege* uitarit*)*
is homo est diuina intellegentia.
prudentiaque munitus; funda-
mentum est enim disciplinae
in summa bonitate consistens;
spiritu autem ministrantur
omnia et uegetantur in mundo;
<qui> quasi organum uel
machina summi dei uoluntati
subiectus est Itaque <haec>
hactenus a nobis intellegantur
Mente sola intelligibilis summus qui dicitur deus rector
gubernatorque est sensibilis dei
eius qui in se circumplectitur
omnem locum. omnem rerum
substantiam totamque gignentium creantiumque materiam.
et omne *(ex* omnem *corr.)* quicquid est quantumcumque est;

*(24ʳ / 16 / T 51 / NF 315 / M
54–55)*

25* nota bene quod homo cum racione malicie potest resistere/

26* spiritu ministrantur et vegetan-
tur omnia.

27* deus intelligibilis rector est sensibilis dei scilicet hominis/

spiritu uero agitantur siue
gubernantur omnes in mundo

28* spiritu agitantur et gubernantur
omnes species/

species unaquaeque *(24ᵛ)* secundum naturam suam <a> deo
distributam sibi; ΥΛΗ (*ὔλη*)
autem uel mundus. omnium est
receptaculum omniumque agitatio atque frequentatio quorum
deus gubernator dispensans
omnibus quantum rebus mundanis unicuique necessarium
Sed spiritu uero implet omnia
ut *(ex* aut *corr.)* cuiusque naturae qualitas est; inaltata *(lege*
inhalata*)* Est enim caua mundi
rutunditas in modum spherae
ipsa sibi qualitatis. uel formae
suae causa inuisibilis tota.
quippe cum quemcumque in
ea summum subter despiciendi
causa delegeris locum. ex eo
in imo quid sit uidere non possis. propter quod multis loci[s]
instar qualitatemque habere
creditur; per enim formas solas
specierum quarum imagini-
bus uidetur inscalpta. quasi
uisibilis creditur cum depicta
monstratur; re autem uera est
sibi ipsi inuisibilis semper. ex
quo eius imum †uel pars† si locus est in sphera Grece ΑΔΗϹ
(*ᾄδης*) dicitur; siquidem ΙΔΕΙΝ
(*ἰδεῖν*) Grece uidere dicitur.
quo uisu imum spherae careat.

29* deus dispensat et gubernat omnia et spiritu adimplet

30* quod mundus spericus sibi ipsi
sit semper inuisibilis/

unde et ideo dicuntur species.
quo<d> sint uisibiles formae;
ab eo itaque quod uisu priuen-
tur Grece AΔHC *(ᾅδης)* ab eo
quod in imo sperae sint Latine
inferi nuncupantur;

*(24ʳ⁻ᵛ / 17 / T 51–52 / NF 315–
317 / M 55–56)*

omnia haec *(quaestio* s. lin.
scr. NdC)* ergo ipsa ut *(ex aut
corr.)* dicis quae est *(lege* sunt*)*
o TRISMEGISTE Mundana ut ita
dixerim specierum omnium
quae insunt uniuscuiusque
sicuti est tota substantia.
(responsio* s. lin. scr. NdC)
mundus itaque nutrit corpora
anima<s> spiritus. sensus autem quo dono caeloesti sola
felix sit humanitas; neque enim
omnes *(25ʳ)* sed pauci quorum
ita mens est ut tanta beneficiis
capax esse possit; ut enim sole
mundus. ita mens humana isto
clarescit lumine et eo amplius;
nam sol quicquid inluminat
aliquando terrae interiectu in-
terueniente nocte eius primatur
(lege priuatur*)* lumine; sensus
autem cum semel fuerit animae

31* nota homo illuminatur intellectu. sicud mundus sole.

conmixtus humanae. fit una ex
bene coalescente conmixtione
materia. ut numquam huiusmodi mentes caliginum inpedian-
tur erroribus. unde iuste sensus.
deorum animam esse dixerunt;
ego uero nec eorum *(scilicet
deorum* s. lin. scr. NdC)* dico
omnium *(scilicet sensum animam esse* s. lin. scr. NdC)* sed
magnorum quorumque et prin-
cipalium;

*(24ᵛ–25ʳ / 18 / T 52–53 / NF
317–318 / M 56–57)*

(quaestio* s. lin. scr. NdC)
quos dicis uel rerum capita
uel ini<ti>a primordiorum o
Trismegiste? *(responsio* s. lin.
scr. NdC)* magna tibi pando et
diuina nudo mysteria; cuius
rei initium facio. exoptato
fauore caelesti. deorum genera
multa sunt eorumque omnium
pars intellegibilis alia *(ex* alias
corr.) uero sensibilis Intellegibilis *(in* intellegibiles* *corr.
NdC)* dicuntur non ideo quod
putentur non subiacere sensibus nostris Magis enim ipse
(lege ipsos*)* sentimus quam

32* nota quomodo dicit anime intellectum coniungi

33* nota dixerunt sensum deorum
animam.

34* nota multa genera deorum.

eos quos uisibiles nuncupamus
sicuti disputatio perdocebit et
tu si intendas poteris peruidere
Sublimis etenim ratio eoque
diuinior ultra hominum mentes
intentionesque consistens si
non attentiore aurium obsequio
uerba loquentias acceperit *(lege*
loquentis acceperis). trans-
uolabit et transfluet aut magis
refluet suique se fontis *(ex*
fontes corr.) liquoribus miscet.
sunt ergo omnium specierum
principes dii Hos consecuun-
tur *(ex* consecuntur *s. lin. corr.*
NdC) dii quorum est princeps
OYCIA *(οὐσίας).* hi sensibiles
uirisque *(lege* utriusque*) (25ᵛ)*
originis consimiles suae. qui
per sensibilem naturam con-
ficiunt omnia alter per alterum
unusquisque opus suum inluminans; caeli uel quicquid est
quod eo nomine conprehen-
ditur OYCIAPXHC *(οὐσιάρχης,*
vsiarchis* *s. lin. scr. NdC)* est
IVPPITER; per caelum enim IVP-
PITER omnibus praebet uitam;
solis OYCIAPXHC *(οὐσιάρχης)*
lumen est; bonum enim lu-
minis per orbem nobis solis
infunditur; XXXVI quorum
uocabulum est HOROSCOPI id est

35* pulcrum dictum
linea *(4–12)*

36* dij principes specierum.

37* vsia est princeps deorum qui
consequuntur primos/

38* nota de IOVE

39* nota de SOLE/

40* nota 36 ymagines stellarum fi-
xarum que HOROSCOPI vocantur

eodem loco semper defixorum
siderum horum OYCIAPXHC
(οὐσιάρχης) uel princeps est
quem ΠΑΝΙΟΜΟΡΦΟ (παν-
τόμορφον) uel omniformem
uocant. qui diuersis speciebus
diuersas formas facit; septem
sperae quae uocantur habent
OYCIAPXAC (οὐσιάρχας) id
est sui principes quam fortu-
nam dicunt aut HMAPMENHN
(εἱμαρμένην, imarmenin* s. lin.
scr. NdC) quibus inmutantur
omnia leges naturae stabili-
tatequae firmissima sempiterna
agitatione uariata; aer uero organum est uel machina omnium
per quam omnia fiunt; est autem OYCIAPXHC (οὐσιάρχης)
huius secundus <***> mortalibus mortalia et his similia; his
ergo ita se habentibus ab imo ad
summum† se atmobentibus sic
sibi conexa sunt omni pertinen-
tia ad se at de† <in>mortalibus
mortalia sensibiliaque insen-
sibilibus adnexa sunt; summa
uero gubernatori[s] summo
illi domino paret. uel esse non
multa aut potius unum ex uno;
etenim cuncta pendentia ex
eoque defluentia cum distantia
uidentur. creduntur esse quam

habent principem qui panio-
morpho. vocatur/

41* septem sperarum princeps i-
marmenin.

42* aer organum omnium

43* nota quomodo omnia sunt conexa. et quando distare viden-

plurima; adunata uero unum uel potius duo unde fiunt omnia et a quo fiunt. id est de materia qua fiunt. *(26ʳ)* et ex eius *(scilicet dei* s. lin. scr. NdC)* uoluntate cuius nutu efficiuntur alia;

(25ʳ–26ʳ / 19 / T 53–55 / NF 318–320 / M 57–59)

tur sunt plurima. adunata vnum aut pocius duo. scilicet deus et. materia.

haec iterum ratio quae est o TRIS-MEGISTE? O ASCLEPI deus etenim uel pater uel dominus omnium <uel> quocumque alio nomine ab homi<ni>bus scanctius religiosiusque nuncupatur *(ex nuncupantur corr.)*. quod inter nos intellectus nostri causa debet esse sacratum? tanti etenim numinis contemplacione[m] nullo ex his nominibus eum definite nuncupabimus; si enim uox hoc est Ex aere spiritu percusso sonus. declarans omnem hominis uoluntatem uel sensum quem forte ex sensibus mente perceperit. cuius nominis tota substantia paucis conposita syllabis definita atque circumscripta est ut esset in homine *(ex nomine corr.)* necessarium uocis auriumque conmercium.

44* nota racionem cur deus sit ineffabilis/

simul etiam et sensus et spiritus et aeris et omnium in his aut per haec aut[em] <de> his nomen est totum dei; non enim spero totius maiestatis effectorem omniumque rerum patrem uel dominum uno posse quamuis e multis conposito *(ex* conpositio *corr.)* nuncupari nomine; hunc uero innomine<m> uel potius omnomine<m> siquidem is sit unus et omnia. ut sit necesse aut omnia esse eius nomine aut ipsum omnium nominibus nuncupari; hic ergo solus ut omnia utraque sexus fecunditate plenissimus. semper uoluntatis pregnans suae parit semper quicquid uoluerit procreare. uoluntas eius est bonitas omnis. haec eadem bonitas omnium rerum est ex diuinitate eius nata natura. uti sint omnia sicuti sunt et fuerunt et futuris omnibus dehinc *(26ᵛ)* naturam ex se nascendi sufficia<n>t; haec ergo ratio o Asclepi tibi sit reddita. quare et quomodo fiant omnia

45* voluntas dei est bonitas omnis.

(26ʳ⁻ᵛ / 20 / T 55–56 / NF 320–321 / M 59–60)

(Escvlapivs querit* *s. lin. scr. NdC)* utriusque sexus; ergo deum dicis o Trismegiste? *(responsio* *s. lin. scr. NdC)* non deum solum Asclepi sed omnia animalia et inanimalia; inpossibilis *(lege* inpossibile*)* est enim [ut] aliquid eorum quae sunt ineffecundum esse; fecunditate enim dempta ex omnibus quae sunt. inpossibile erit semper esse quae sunt; ego enim †et in naturam et sensum et naturam et mundum† dico in se continere naturam. et nata omni<a> conseruare Procreatione enim uterque plenus est sexus. et eius utriusque conexio aut quod est uerius unitas inconprehensibilis est. quem siue Cvpidinem siue Venerem siue utrumque recte poteris nuncupare; hoc ergo omni uero uerius manifestiusque mente percepto. quod ex omni illo totius naturae deo esti *(!)* cunctis in aeternum procreandi inuentum tributumque mysterium cui summa caritas cletitiae *(lege* laetitia*)* hilaritas cupiditas amorque diuinus innatus est; et dicendum foret quanta sit eius mysterii uis atque necessitas. nisi ex sui

46   corruptus est textus *(in marg. sup.)*

47*   nota quomodo ait deum necessario fecundum si semper esse debet.

48*   nota sensus et mundus in se continent fecunditatem. scilicet naturam

49*   nota fecunditas que in utroque sexu unite est/ est vnitas incomprehensibilis. que Cvpido seu Venvs nuncupatur/

contemplatione unicuique ex intimo sensu nota esse potuisset; si enim illud *(ex* illum *corr.)* extremum temporis quo ex c[e]rebro adtritu[m] peruenimus *(ex* perueniamus *corr.)* ut utraque in utramque fundat natura progeniem. animaduertas ut altera auide alterius rapiat interiusque recondat; denique eo tempore ex conmixtione communiat uirtutem feminae *(*nominatiuus est pluralis* s. lin. scr. NdC) (27ʳ)* marum adipiscuntur. et mares femineo torpore lassescunt; effectus itaque huius tam blandi necessariique mysterii in occulto perpetratur. ne[c] uulgo inridentibus inperitis. utriusque naturae diuinitas ex conmixtione sexus cogatur erebescere. multo magis etiam si uisibus inreligiosorum hominum subiciantur;

50* loquitur de commixtione sexuum. pro generacione.

51* vult dicere quamquam hominum commixtiones in occulto fiant hoc non arguit diuinitatem utriusque nature fecunditatem erubescere./ plus quam si fierent videntibus irreligiosis.

(26ᵛ–27ʳ / 21 / T 56–57 / NF 321–323 / M 60–61)

sunt autem non multi aut admodum pauci ita ut numerari etiam in mundo possint religiosi; unde contingit in multis remanere

52* de paucitate religiosorum

malitiam defectu prudentiae sci-
entiaeque rerum omnium quae
sunt; ex enim intellectu rationis
diuinae qua constituta sunt omnia. contemptus medullaquae
nascitur uitiorum mundi totius;
perseuerante autem inperitia
atque <in>scientia uitia omnia
conualescunt.   uulnerantque
animam   insanabilibus   uitiis.
quae infecta isdem *(in* hiisdem*
corr. NdC) atque uitiata quasi
uenenis tumescit. nisi eorum
quorum animarum disciplina et
intellectus summa curatio est;
si solis ergo et paucis hoc pro-
derit. dignum est hunc persequi
atque expedire tractatum. quare
solis hominibus intellegentiam
et disciplinam diuinitas suam
sit inpertire dignata *(ex* dig-
natam *corr.)*; audi itaque deus
pater et dominus cum post deos
homines efficeret ex parte cor-
ruptiore mundi et ex diuina pari
lance conponderans. uitia con-
tigit *(ex* contingit *corr.)* mundi
corporibus conmixta remanere.
et alias propter cibos uictumque
quem   necessario   habemus
cum   omnibus   animalibus
communem. quibus de rebus
necesse est cupiditatem. desi-

53* ·ignorancia·viciorum·causa·

54* quare deus suam intelligenciam
     et disciplinam solis hominibus
     dignatus est impertire

55* nota
     linea (29–34)

deria. et reliqua *(27ᵛ)* mentis
uitia animis humanis insidere;
diis uero utpote ex mundissima
parte naturae effectis. et nullis
indigentibus rationis discipli-
naequae adminiculis quamuis
inmortalitas et unius semper
aetatis uigor ipse sit eis prudentia et disciplina. tamen propter
unitatem rationis pro disciplina
et pro intellectu ne ab his essent
alieni ordinem necessitatis lege
conscriptum aeterna lege constituit hominem ex animalibus
cunctis de sola ratione disci-
plinaque. cognoscens per quae
uitia corporum homines auer-
tere atque abalienare potuissent
ipsos ad inmortalitatis spem
intentionemque   protendens;
denique et bonum hominem
et qui posset *(in* possit *corr.)*
inmortalis esse ex utraque
natura conposuit diuina atque
mortali. et sic compositum est
per uoluntatem dei hominem
constitutum esse meliorem et
diis qui sunt ex sola inmortali
natura formati. et omnium mortalium; propter quod homo diis
cognatione coniunctus. ipsos
religione et scancta mente ue-
neratur. diique etiam pio affectu

56* nota rogo quomodo vicia sunt
in nobis a natura. et non diis
quia nos partim ex corrupta
natura non sic dij/.

57* nota de ordine

58* nota causam cur homo est ra-
cionalis et disciplinabilis. scilicet ut vicia corporis auertat/ spe
immortalitatis.

59* homo melior dijs. si virtuosus
ut infra.

60* (cur homo veneretur deos et e
conuerso)

humana omnia respiciunt atque
custodiunt;

*(27^{r–v} / 22 / T 57–59 / NF 323–
324 / M 61–63)*

et quoniam de cognatione
et consortio hominum deo-
rumque nobis indicitur sermo.
potestatem hominis O ASCLEPI
uimque cognosce; dominus et
pater uel quod est summum
deus ut effector est deorum
caelestium ita homo fictor est
deorum qui in templis sunt
humane *(lege* humana*)* proximitate *(28^r)* contemti *(!).* et
non solum inluminantur. uerum
etiam inluminant. nec solum
ad deum proficit uerum etiam
confirmat deus *(aliter* conformat deos* *s. lin. scr. NdC);*
*(*interrogatio TREMEGISTI* *s. lin.
scr. NdC)* miraris O ASCLEPI. an
numquid et tu diffidis ut multi?
*(*responsio ESCVLAPII* *s. lin. scr.
NdC)* confundor o TRISMEGISTE.
sed tuis uerbis libenter adsen-
sus *(in* adsensio* *corr. NdC).*
felicissimum hominem iudico.
qui sit tantam felicitatem con-
secutus. nec inmerito miraculo

61* *manicula*

62* quomodo sicud deus creator[um] deorum celestium ita
homo fictor deorum qui in tem-
plo sunt/

63* nota homines non solum illumi-
nantur sed eciam illuminant/

dignus est qui est omnium max-
imus; *(*Termegistus* s. lin. scr.
NdC)* deorum genus omnium
confusione manifestum est de
mundissima parte natura\<e>
esse prognatum. signaque eorum sola quasi capita pro omnibus esse; species uero deorum
quas conformat humanitas ex
utraque natura conformatae est
(lege sunt*)* ex diuina que est pu-
rior multoque diuinior. et ex ea
quae intra homines est. id est ex
materia qua fuerint fabricatae.
et non solum capitibus solis sed
membris omnibus totoque corpore figurantur; ita humanitas
semper memor naturae et originis suae in illa diuin\<it>atis
imitatione perseuerat. ut sicuti
pater ac dominus ut sui similes
essent deos fecit aeternos. ita
humanitas deos suos ex sui uul-
tus similitudine figuraret;

*(27ᵛ–28ʳ / 23 / T 59–60 / NF
325–26 / M 63–64)*

*(*Aescvlapivs* s. lin. scr. NdC)*
statuas dicis o Trismegiste?
*(*Tremegisti* s. lin. scr. NdC)*
statuas o Asclepi; uidesne

64* nota deorum simplicium figura
quasi capitum est/ sed confor-
matorum per hominem. cum
sint duplicis nature figura
integra/.

65* nota

66* nota sicud deus creat deos
eternos ad sui similitudinem.
ita humanitas. ad sui similitu-
dinem/

quatenus tu ipse diffidas?
statuas animatas sensu et spiritu
plenas. tantaque facientis et ta-
lia; statuas futurorum praescias.
eaque *(ex* easque *corr.)* sorte.
uatas omnes *(lege* uate somniis*)*. multisque aliis rebus praedicentes. inbecillitates hominibus facientes easque curantes.
tristitiamque pro meritis; an
ignoras o ASCLEPI quod AE-
GYPTVS imago sit caeli. aut
quod est uerius trans*(28ᵛ)*latio
aut descensio omnium quae
gubernantur atque exercentur
in caelo? et si dicendum est
uerius terra nostra mundi totius
est templum; et tamen quoniam
praescire cuncta prudentes de-
cet istud uos ignorare fas non
est. futurum tempus et cum
adpareat AEGYPT<I>OS incas-
sum pia mente diuinitatem et
sedula religione seruasse *(ex*
seruasset *corr.)*. et omnis eorum sancta ueneratio in irritum
casura frust<r>abitur; e terris
enim et ad caelum recursura diuinitas. linqueturque AEGYPTVS
(ex AEGYPTOS *corr.)*. terraque
sedes religionum quae fuit
uiduata numinum praesentia
destituetur; alienigenis enim re-

67* ·nota mirabilia·

68* nota quomodo descendebat e
celo diuinitas

69* nota rogo quomodo terra EGIPTI
fuit templum mundi tocius

70* nota per totum propheciam de
casu EGIPTI

71* nota quomodo ad celum recursura est diuinitas

ligionem istam terramque con-
plentibus. non solum neglectum
(lege neglectus*)* religionum sed
quod est durius quasi de legibus
a religione pietate cultuque
diuino statuetur prescripta poe-
na prohibitio; tunc terra ista
sanctissima sedes delubrorum
atque templorum sepulcrorum
erit mortuorumque plenissima;
o Aegypte Aegypte relegio-
num tuarum solae supererunt
fabulae. eaeque incredibiles
posteris sui *(lege* tuis*)* solaque
supererunt uerba lapidibus in-
cisa tua pia facta narrantibus et
inhabitabit Aegyptvm Scythes
aut Indvs aut aliquis talis id est
uicina barbaria; diuinitas enim
repetit caelum. deserti homines toti morientur. atque ita
Aegyptvs deo et homine uiduata deseretur; tu *(lege* te*)* uero
appello sanctissimum flumen
tibique futura praedico torrenti
sanguine plenus adusque ripas
erumpes. undaeque diuinae non
solum polluentur sanguine sed
totae *(ex* tota *corr.)* rumpen-
tur *(29ʳ)* et uiuis multo maior
numerus erit sepulchrorum;
superstes uero qui foret lingua

72* mirabilia sunt ista.

sola cognoscetur AEGYPTIVS. actibus uero uidebitur alienus;

(28ʳ–29ʳ / 24 / T 60–62 / NF 326–328 / M 64–66)

(TREMEGISTVS* *s. lin. scr. NdC*) quid fles o ASCLEPI? et his amplius multoque deterius; ipsa AEGYPTVS suadebitur inbueturque peioribus malis. quae sancta quondam. diuinitatis amantissima. deorum in terras suae religionis merito sola deductio. sanctitatis et pietatis magistra. erit maximae crudelitatis exemplum. et tunc taedio hominum non admirandus uidebitur mundus. nec adorandus. hoc totum bonum quo melius nec fuit nec est nec erit quod uideri possit periclitabitur. eritque graue hominibus ac per hoc contemnetur nec dilige[n]-tur. totus hic mundus dei opus inimitabile gloriosa constructio. bonum muliformi imaginum uarietate conpositum machina uoluntatis dei in suo opere absque inui<di>a suffragantis in unum omnium quae uenerari laudari amari denique a uiden-

73* nota bonum quod videri possit quo melius ullum periclitabitur

tibus possunt multiformis adunata congestio. nam et tenebrae
praeponentur lumini. et mors
uita utilior iudicabitur; nemo
suspiciet caelum. religiosus
pro insano *(ex* insanus *corr.)*
inreligiosus putabitur. prudens.
furiosus fortis. pro bono habe-
bitur pessimus. anima enim
et omnia circum eam. quibus
aut inmortalis nata est aut inmortalitatem se consecuturam
esse praesumit. secundum quod
uobis exposui non solum risui
sed etiam putabitur uanitas.
sed mihi credite et capital<e>
periculum constituetur in eum   74* nota
qui se mentis *(29ᵛ)* religioni
dederit. noua constituentur
iura. lex noua. nihil sanctum.
nihil religiosum. nec caelo nec
caelestibus dignum audietur.
aut mente credetur; fit deorum
ab hominibus dolenda secessio.
soli nocentes angeli remanent.   75* nota nocentes angeli hominibus
qui humanitate conmixti ad   commiscentur ad instigandum
omina audaciae mala. mise-   ad malum/
ros manu iniecta conpellunt. in
bella. in rapinas. in fraudes. et
in omnia quae sunt animarum   76* vicia contrariantur nature ani-
naturae contraria; tunc nec   me.
terra constabit. nec nauigabitur
mare. nec caelum astrorum

cursibus nec siderum cursus
constabit in caelo. omnis uox
diuina necessaria taciturnitate
mutescet *(ex* mutescit *corr.).*
fructus terrae conrumpentur.
nec fecunda tellus erit. et aer
ipse mesto torpore linguescit
(lege languescet*);*

(29^{r-v} / 25 / T 62–63 / NF 328–
329 / M 66–68)

haec et talis senectus ueniet
mundi inreligio inordinatio
inrationabilitas bonorum omnium; cum haec cuncta con-
tigerint. O ASCLEPI. tunc ille
dominus et pater deus primi-
potens et unius gubernator dei
intuens in mores factaque uo-
luntaria uoluntate sua quae est
dei benignitas uitiis resistens
et corruptela omnium errorem
reuocans. malignitatem omnem
uel inluuione diluens. uel igne
consumens. uel morbis pesti-
lentibus iisque per diuersa loca   77* (quomodo deus purgabit mun-
dispersis finiens. ad antiquam   dum a malis)
faciem mundum reuocabit.
ut et mundus ipse adorandus
uideatur atque mirandus. et
tanti operis effector et restitu-

tor deus ab hominibus qui tunc erunt frequentibus laudum praeconiis benedictionibusque celebretur; haec enim mundi genitura. cunctarum reformatio rerum bonarum et naturae ipsius sanctissima *(30r)* <et> religiosissima restitutio percoacta temporis cursu quae est et fuit sine initio sempiterna Voluntas etenim dei caret initio quae eadem est et sicuti est sempiterna; *(*AESCVLAPI* s. lin. scr. NdC)* dei enim natura consilium est uoluntatis Bonitas summa consilium o TRISMEGISTE? *(*TREMEGISTI* s. lin. scr. NdC)* uoluntas. o ASCLEPI consilio nascitur. et ipsum uelle e uoluntate; neque enim inpense aliquid uult qui est omnium plenissimus et ea uult quae habet; uult autem omnia bona et habet omnia quae uult; omnia autem bona et cogitat et uult; hoc est autem deus. eius imago mundus; boni <bonus>

78* deus vult que habet. puta omnia bona/

79* ac si dicitur ymago dei boni est mundus ergo ipse bonus.

(29ᵛ–30ʳ / 26 / T 63–64 / NF 329–331 / M 68–69)

*(*Aesculapivs* s. lin. scr. NdC)*
bonus o Trismegiste? *(*Tremegistvs* s. lin. scr. NdC)* bonus O
Asclepi ut ego te docebo; sicuti
enim deus omnibus speciebus
uel generibus quae in mundo
sunt dispensator distributorque
est bonorum id est sensibus
animae et uitae. sic et mundus
tributor est et praestator omnium quae mortalibus uidentur
bona. id est et alternationis par-
tuum temporalium fructu<u>m
natiuitatis augmentorum et
maturitatis et horum similium
ac per hoc deus supra uerticem
summi caeli consistens. ubique
est omniaque circum inspicit;
sic est enim ultra caelum locus
sine stellis ab omnibus rebus
corpulentis alienus; dispensator qui est inter caelum et terram optinet locum quem Iovem
uocamus; terrae uero et mari
dominatur Ivppiter; Plvtonivs.
et hic nutritor est animantium
mortalium et fructifera<rum>
Horum omnium uiribus fructus
arbusta et terra uegetantur; aliorum uero uires et effectus per
omnia quae sunt distribuentur;
distribuentur uero qui terrae
dominantur et collocabuntur

80*   nota sensus et vita anime sunt
      bona similia deo/

81*   nota. extra celum est locus

82*   nota *(in marg. sin.)*
      linea (22–25)

83*   Ivpiter dispensator loci intra
      celum et terram. et Plvto ani-
      mancium mortalium
      linea (26–33)

(30ᵛ) in ciuitate in summo initio Aᴇɢʏᴘᴛɪ quae a parte solis occidentis condetur ad quam terra marique *(in* terrae marisque *corr.)* festinabit omne mortale genus; *(*Aᴇꜱᴄᴠʟᴀᴘɪᴠꜱ* *s. lin. scr. NdC)* modo tamen hoc in tempore ubi isti sunt O Tʀɪꜱᴍᴇ-ɢɪꜱᴛᴇ? *(*Tʀᴇᴍᴇɢɪꜱᴛᴠꜱ* *s. lin. scr. NdC)* co<n>locati in maxima ciuitate in monte Lʏʙɪᴄᴏ; et haec usque eo narrati *(lege* narrata*)* sint *(ex* sunt *corr.)*; de inmortali uero aut de mortali modo disserendum est; multos enim spes timorque mortis excruciat uerae rationis ignaros; mors enim efficitur desolutione corporis labore defessi et numeri conpleti quo corporis membra in unam machinam ad usus uitalis aptantur; moritur enim corpus quando hominis uitalia ferre posse destiterit; haec est ergo mors corporis dissolutio et corporalis sensus interitus. de qua sollicitudo superuacua est. sed et alia necessaria quam aut ignoratio aut incredibilitas contemnit humana; *(*Aᴇꜱᴄᴠʟᴀᴘɪᴠꜱ* *s. lin. scr. NdC)* quid est Tʀɪꜱ-ᴍᴇɢɪꜱᴛᴇ quod aut ignorant aut esse posse diffidunt?

84* nota de morte corporis.

85* nota de secunda morte anime

(30^{r–v} / 27 / T 64–66 / NF 331–
334 / M 69–70)

*(*TREMEGISTVS* s. lin. scr. NdC)*
audi ergo ASCLEPI; cum fuerit animae <e> corpore facta
discessio. tunc arbitrium exa-   86* nota racionem et iudicium
menque meriti eius transiet in   separate anime
summi daemonis *(id est dei**
s. lin. scr. NdC) potestatem.
isque eam cum piam iustamque
peruiderit. in sibi conpetentibus
locis manere permittit. sin autem delictorum inlitam maculis
uitiisque oblitam uiderit. desu-
per ad ima deturbans procellis   87* nota de pena dampnatorum.
turbinibusque aeris igni<s>
et aquae sepe discordantibus
traditur *(lege* tradit ut*)*. inter
caelum et terram mundanis
fluctibus in diuersa semper
aeternis poenis agitata rapiatur
ut in hoc animae obsit aeterni-   88* nota rogo quomodo anime
tas quod sit inmortali sententia   obest/ eternitas quando damp-
aeterno suplicio subiugata; ergo   natur quia eterna est sentencia
ne his inplicemur uerendum   dampnacionis
(31^r) timendum cauendumque   *manicula*
esse cognosce; incredibiles
enim post delicta *(ex* dilecta
corr.) cogentur credere non
uerbis sed exemplis. nec minis
sed ipsa passione poenarum

(AESCVLAPIVS* *s. lin. scr. NdC)* Non ergo TRISMEGISTE hominum delicta sola humana lege puniuntur? (TREMEGISTVS* *s. lin. scr. NdC)* primo ASCLEPI terrena quae sunt omnia sunt mortalia. tunc ea etiam quae sunt corporali ratione uiuentia et a uiuendo eadem corporum ratione deficientia.

89* omnia terrena mortalia

(30*ᵛ*–31*ʳ* / 28 / T 66–67 / NF 334–335 / M 70–71)

(AESCVLAPIVS* *s. lin. scr. NdC)* qui sunt digni maioribus poenis O TRISMEGISTE? (TREMEGISTVS* *s. lin. scr. NdC)* qui damnati humanis legibus uitam uiolenter amittunt. ut non naturae animam debitam sed poenam pro meritis red<d>idisse uideantur. contra iusto homini in dei religione et in summa pietate praesidium est; deus enim tales ab omnibus utatur malis; pater enim omnium uel dominus et is qui solus est omnia. omnibus se libenter ostendit. non ubi sit loco. nec qualis sit qualitate. nec quantus sit quantitate. sed hominem sola intellegentia men-

90* nota rogo quomodo se deus ostendit

tis inluminans. qui discussis
ab animo errorum tenebris. et
ueritatis claritate percepta toto
se sensu intellegentiae diuinae
conmisce[n]t. cuius amore a
parte naturae qua mortalis est
liberatus. inmortalitatis futurae
concipit fiduciam; hoc ergo
inter bonos malosque distabit;
unus enim quisque pietate *(31ᵛ)*
religione prudentia cultu et
ueneratione dei clarescit quasi
oculi uera ratione perspecta.
et fiducia *(ex* fiduciam *corr.)*
credulitatis suae tantum inter
homines quantum sol lumine
ceteris astris atistat *(*antestat* s.
lin. scr. NdC).*

*(31ʳ⁻ᵛ / 29 / T 67 / NF 335–336
/ M 71–72)*

in ipsa enim aeternitatis uiuaci-
tate mundus agitatur. et in
ipsa uitali aeternitate locus est
mundi propter quod nec stabili
(lege stabit*)* <ali>quando nec
conrumpetur   sempiternitate
uiuendi circumuallatus et quasi
constrictus

*(31ᵛ / 30 / T 68 / NF 337 / M
73)*

91* mundi locus est in eterna vivaci-
tate dei quare non corrumpetur
linea (1–8)

et mundus est receptaculum
temporis cuius cursu et agitatione uegetatur; tempus autem
ordinatione seruatur. ordo et
tempus innouationem omnium
rerum quae in mundo sunt per
alternationem faciunt; cunctis
ergo ita se habentibus nihil sta-
bile. nihil fixum. nihil inmobile
nec nascentium nec caelestium
nec terrenorum; solus deus. et
merito solus ipse enim in se est
et a se est et circum se totus est
plenus atque perfectus. isque
sua firma stabilitas est. nec alicuius inpulsu [nec] loco moueri
potest cum in eo sunt omnia et
in omnibus ipse est solus. nisi
aliquis audeat dicere ipsius
conmonitionem in aeternitate
esse. sed magis et ipsa inmobilis aeternitas in quam omnium
temporum agitatio <remeat et
ex qua omnium temporum agi-
tatio> sumit exordium;

*(32ʳ / 30 / T 69 / NF 338–339 /
M 73–74)*

deus ergo stabilis fuit <semper>
semperque similiter cum eo aeternitas consistit. mundum non

92* mundus est receptaculum tem-
     poris quia eius cursu vegetatur

93* ordo et tempus sunt causa om-
     nis innouacionis per alterna-
     cionem.

94* solus deus immobilis.

natum quem recte sensibilem
dicimus intra se habens; huius
dei imago hic effectus est mundus. aeternitatis imitator; habet
(32ᵛ) autem tempus stabilitatis
suae uim atque naturam quamuis semper agitetur. ea ipsa in
se reuertendi necessitate; itaque
quamuis sit aeternitas stabilis
inmobilis atque fixa tamen quoniam temporis quod mobile est
in aeternitatem semper reuoca-
tur. agitatio eaque mobilitas ratione temporis uertitur efficitur
ut et ipsa aeternitas inmobilis
quidem sola per tempus in quo
ipsa est et est in eo omnis agitatio uideatur agitari; sic efficitur. ut et aeternitatis stabilitas
moueatur et temporis mobilitas
stabilis fiat fixa lege currendi;
sic et deum agitari credibile est
in se ipsum eadem immobilitate Stabilitatis etenim ipsius
in magnitudine est inmobilis
agitatio. ipsius enim magnitudinis inmobilis lex est; hoc ergo
quod est tale quod non subicitur
sensibus. indefinitum. incon-
prehensibile. inaestimabile est;
nec sustineri etenim nec ferri
nec indagari potest; ubi enim
et quo. et unde. aut quomodo.

95* deus intra se ab eterno habuit
mundum sensibilem. unde
mundus imago dei et eternitatis
imitator

96* nota

97* nota quia tempus semper agitatur necessitate in se reuertendi eciam eternitatis stabilitas
mouetur et temporis mobilitas
stabilis fit fixa lege currendi. sic
deus agitatur in se ipsum.

aut quale sit incertum est; fertur enim in summa stabilitate et in ipso stabilitas sua. siue aeternitas. siue uterque. siue alter in altero. siue uterque in utroque sunt *(in* sint *corr.).* propter quod aeternitas sine definitione est temporis; tempus autem quod definiri potest uel numero uel alternatione uel alterius per ambitudinem reditus aeternum est; utrumque ergo infinitum. utrumque uidetur aeternum; stabilitas enim utpote defixa quod sunt inere *(lege* sustinere*)* quae agitabilia sunt possit. beneficio firmitatis. merito optinet principa*(33ʳ)*tum;

(32ʳ–33ʳ / 31 / T 69–70 / NF 339–340 / M 74–75)

98* quomodo eternitas est sine diffinicione temporis/

99* tempus per ambitudinem reditus eternum

100* sicud aqua fluit semper per medium fixi ponti. ita tempus intra eternitatem/

omnium ergo quae sunt primordia deus est et aeternitas; mundus autem quod sit mobilis non habet principatum; praeuenit enim mobilitas eius stabilitatem suam in legem agitationis sempiternae habendo inmobilem firmitatem; omnis ergo sensus diuinitatis similis. inmobilis ipse in stabilitate se conmouet

101* nota bene quomodo deus et eternitas sunt primordia/ et mundus non habet principatum quia licet eius sempiterna agitatio habeat immobilem firmitatem tamen hanc immobilitatem preuenit mobilitas. sua./ et huius mobilitatis principium et causa est deus et eternitas. et hoc nota. quia subtile/

sua; sanctus et incorruptus et
sempiternus est <et si> quid
potest melius nuncupari dei
summi in ipsa ueritate con- 102* de triplici sensu diuino mun-
sistens aeternitas plenissimus   dano et humano/
omnium sensibilium et totius
disciplinae. consistens ut ita
dixerim cum deo? sensus uero
mundanus receptaculum est
sensibilium omnium specierum
et disciplinarum; humanus uero
ex memoriae tenacitate quod
memor sit omnium quas ges-
serit rerum; usque ad humanum
enim animal sensus diuinitas 103* (nota quomodo sensus diuini-
discendendo peruenit; deus   tatis descendit usque ad hu-
enim summum diuinum sensum   manum animal)
cunctis confu<n>di noluit. ne
erubescere<t> aliorum conmixtione animantium; intellegentia
enim sensus humani qualis aut
quanta sit. tota in memoria
est praeteritotum (!); per eam
enim memoriae tenacitatem. 104* nota per memorie tenacitatem
et gubernator effectus est ter-   homo mensurat vires intellectus
rae; intellectus autem naturae   et efficitur rector terre/
et †qualitate† sensus mundi ex
omnibus quae in mundo sensibilia sunt poterit peruideri;
aeternita<ti>s quae secunda est
ex sensibili mundo sensus datus
qualitasque dinoscitur; at intel- 105* nota sola veritas est intellectus
lectus qualitasque sensus sum-   et qualitas sensus dei/ cuius

mi dei sola ueritas est. cuius ueritatis in mundo nequidem extrema linea umbra dinoscitur; ubi enim *(33ᵛ)* quid temporum dimensione dinoscitur ubi sunt **106*** mendacia. ubi geniturae ubi ergo res uidetur; uides ergo o Asclepi in quibus constituti quae tractemus aut quae audeamus *(ex* audiamus *corr.)* adtingere; sed tibi deus summe gratias ago. qui me uidenda<e> diuinitatis luminasti lumine; et uos O Tati et Asclepi et Hammon intra secreta pectoris diuina mysteria silentio tegite et **107*** taciturnitate celate; hoc autem differt intellectus a sensu quod intellectus noster ad qualitatem sensus mundi intellegendam et **108*** dinoscendam mentis peruenit intentione. intellectus autem mundi peruenit ad aeternitatem et deos noscendos qui supra se sunt et sic contingit hominibus ut quasi per caliginem quae in caelo sunt uideamus. quantum possibile est per condicionem sensus humani Haec autem intentio peruidendis tantis angustissima est nobis* *(ex* bonis *s. lin. corr. NdC)* latissima uero

veritatis in mundo extrema linea non dinoscitur/

106* in temporum dimensione cognicio mendax.

107* nota iubet secrete haberi que apperuit

108* nota bene quomodo intellectus humanus peruenit ad dinoscenciam qualitatis mundi intellectus mundi/ ad eternitatem et deos noscendos.

cum uiderit felicitate consci- 109* nota rogo quomodo hic angus-
entiae;   tissima est intelligencia/ et in
                                     felicitate conscience latissima/

(33ʳ⁻ᵛ / 32 / T 70–72 / NF 340–
342 / M 75–77)

de inani uero quod iam magnum
uidetur esse quam plurimis sic
sentio. inane nec esse aliquid
nec esse potuisse <nec> fu- 110* quod non sit vacuum.
turum umquam Omnia enim
mundi sunt membra plenissima.
ut ipse mundus sit plenus atque
perfectus corporibus qualitate
formaque diuersis et speciem
suam habentibus et magnitudinem Quorum unum est alio
maius aut alio aliud minus. et
ualiditate et tenuitate diuersa
Nam et quaeda<m> eorum ua-
lidiora facilius uidentur. sicuti
et maiora; minora uero aut te-
nuiora aut uix uideri aut omnino non possunt. quas solum eas
esse adtractatione *(ex* adtrac-
tationem *corr.)* cognoscimus;
unde contingitur *(34ʳ)* multis
credere haec non esse corpora
et esse inanes locos quod est
inpossibile. sicuti enim quod
dicitur extra mundum si tamen
est aliquid. nec istud enim

credo sic ab eo plenum esse 111* non credit extra mundum ali-
intelligibilium enim rerum id quid esse
est diuinitati suae similium ut
hic etiam sensibilis mundus
qui dicitur sit plenissimus corporum et animalium naturae
suae et qualitati conuenientium
quorum facies non omnes uidemus. sed quasdam ultra modum
grandes. quasdam breuissimas.
<ut> aut propter spatii interiecti
longitudinem aut quod acie
sumus obtunsi tales nobis esse
uideantur. aut omnino propter
nimiam breuitatem multis non
esse credantur. dico nunc dae-
monas *(in* daemones *corr.)* quos 112* credit ethereos demones nobis-
credo conmorari nobiscum. et cum commorari
heroas *(in* ethereos *corr.)* quos
inter aeris purissimam partem
supra nos et in terram ubi nec
nebulis locus est nec nubibus.
nec ex signorum aliquorum agitatione commotio Propter quod
Asclepi. inane nihil dixeris. nisi
cuius rei inane sit hoc quod dicis inane praedixeris. ut inane
ab igni ab aqua. et his similibus
quod etsi contigerit uideri quid
(lege quod*)* inane possit esse a
rebus huiusmodi quamuis sit
breue uel magnum quod inane

uidetur. spiritu tamen et aere
uacuum esse non possit.

*(33ᵛ–34ʳ / 33 / T 72–73 / NF
342–343 / M 77–78)*

similiter uero de loco dicendum
est. quod uocabulum solum 113*
intellectu caret; locus enim ex
eo cuius est quid sit apparet;
principali etenim dempto
nomini\<s\> significatio muti-
latur; quare aquae locus ignis
locus aut his similium recte
dicemus. *(34ᵛ)* sicuti enim inane
esse aliquid inpossibile est. sic
et locus solus quid sit dinosci 114*
non potest. nam si posueris locum sine eo cuius est. inanis
uidebitur locus quem in mundo
esse non credo quodsi inane nihil est. nec per se quid sit locus
adparet nisi ei aut longitudinis
aut latitudinis aut altitudinis ad-
dideris. ut corporibus hominum
signa. his ergo sic se habentibus
O ASCLEPI et uos qui adestis
scitote intellegibilem mundum 115*
id est qui mentis solo obtutu
dinoscitur esse incorporalem
nec eius naturae misceri aliquid
posse corporale. id est quod

113* locus caret intellectu et dicitur
locati locus. et sic per locatum
intelligitur

114* quia vacuum non est locus
per se intelligi absque locato
nequit

115* de mundo intelligibili quomodo
est totaliter incorporalis

possit qualitate quantitate nu-
merisque dinosci. in ipso enim
nihil tale consistit. hic ergo
sensibilis qui dicitur mundus 116* de mundo sensibili qui est re-
receptaculum est omnium sen-   ceptaculum specierum.
sibilium specierum qualitatum
uel corporum. quae omnia
sine deo uegetari non possunt
Omnia enim deus et ab eo 117* omnia deus.
omnia et eius omnia uoluntatis
quod totum est bonum decens
et prudens inimitabile. et ipsi
soli sensibile atque intellegibile
et sine hoc nec fuit aliquid nec
est nec erit. omnia enim ab eo 118* omnia a deo in ipso et per ip-
et in ipso et per ipsum et uariae   sum.
et multiformes qualitates. et
magnae quantitates et omnes
mensuras excedentes magnitu-
dines. et omniformes species.
quas si intellexeris O ASCLEPI
gratias acturus es deo si in totum animaduertes. uera ratione
perdisces mundum ipsum sensi- 119* nota quomodo sensibilis mun-
bilem et quae in eo sunt omnia   dus est ab intelligibili
a superiore illo mundo quasi ex
uestimento esse contecta.

(34^{r-v} / 34 / T 73–75 / NF 344–
345 / M 78–79)

unumquodque *(ex* unumquoque *corr.)* enim genus animalium o Asclepi cuiuscumque uel mortalis uel *(35ʳ)* inmortalis uel rationalis siue sit animans siue sine anima sit. prout cuique est genus sic singula generis sui imagines habent et quamuis unumquodque animalis genus omnem generis sui possideat formam. in eadem forma singula tamen sui dissimilia sunt. ut hominum genus quamuis sit uniforme ut homo dinosci ex aspectu possit *(ex* poscit *corr.).* singuli tamen in eadem forma sui dissimiles sunt Species enim quae diuina est incorporalis *(ex* incorporali *corr.)* est et quicquid mente conprehenditur. cum itaque haec duo ex quibus constant forma<e> et corpora incorporalia sint. inpossibile est formam unamquamque alteri simillimam nasci horarum et climatum distantibus punctis. sed inmutantur totiens quot *(ex* quod *corr.)* hora momenta habet circuli circumcurrentis in quo est ille omniformis quem diximus deus; species ergo permanet. ex se totiens pariens imagines tantas tamque diuersas

120* omnia animalia habent generis sui ymagines in diuersis formis

121* species divina incorporalis est

122* nota causam dissimilitudinis indiuiduorum eiusdem speciei.

123* nota deus est centrum circuli semper circumcurrentis

124* nota bene quot habet conuersio mundi in motu momenta. tot

quanta habet conuersio mundi
momenta. qui mundus in con-
uersione mutatur. species uero 125*
nec mutatur nec conuertitur; sic
generum singulorum formae
sunt permanentes in eadem sua
forma dissimiles

species parit ymagines diuersas./
nota species nec mutatur nec
conuertitur

*(34ᵛ–35ʳ / 35 / T 75 / NF 345–
346 / M 79–80)*

(Aᴇsᴄᴠʟᴀᴘɪᴠs* *s. lin. scr. NdC)*
et mundus speciem mutat o
Tʀɪsᴍᴇɢɪsᴛᴇ? *(*Tʀᴇᴍᴇɢɪsᴛᴠs*
s. lin. scr. NdC) uides ergo O
Asᴄʟᴇᴘɪ tibi omnia quasi dormi-
enti esse narrata. quid est enim
mundus aut ex quibus constat
nisi ex omnibus natis? ergo
hoc uis dicere de caelo terra
et elementis. nam quae alia
magis frequenter mutantur in
species Caelum umescens uel
arescens uel frigescens uel ig-
nescens *(35ᵛ)* uel clarescens uel
sordescens. in una caeli specie
haec sunt quae sepe alternantur
species; terra uero speciei suae 126*
multas inmutationes habet semper et cum parturit fruges et cum
ea[s]dem partus nutricat suos
fructuum omnium cum reddit

nota quomodo diuersitas in
eadem specie superuenit ex
qualificatiua disposicione/.

uarias diuersasque qualitates et
quantitates atque stationes aut
cursus et ante omnis arborum
florum bacarum qualitates o-
dores sapores species

*(35ʳ⁻ᵛ / 36 / T 75–76 / NF 346 /
M 80–81)*

omnium enim mirabilium uicit 127*
admirationem. quod homo diuinam potuit inuenire naturam
eam effecire *(!)*; quoniam ergo
proaui nostri multum errabant
circa deorum rationem incredu-
li et non animaduertentes ad
cultum religionemque diuinam
inuenerunt artem qua efficerent
deos. cui inuentae adiunxerunt
uirtutem de mundi natura con-
uenientem eamque miscentes
quoniam animas facere non
poterant euocantes animas
daemonum uel angelorum eas
indiderunt imaginibus sanctis
diuinisque mysteriis. per quas
idola et bene faciendi et male
uires habere potu*(36ʳ)*issent;

*(35ᵛ–36ʳ / 37 / T 76–77 / NF 347
/ M 81–82)*

omnium mirabilium maximum
est quod homo diuinam inuenit
naturam
linea (1-19)

unde contnigit *(!)* ab AEGYP-
TI<I>S haec sancta animalia 128* sancta animalia
nuncupari colique per singulas *linea (2–8)*
ciuitates eorum animas quorum
sunt consecrata uiuentes ita ut
et eorum legibus inco<l>antur 129* nota dii terreni sunt homines
et eorum nominibus nuncu- qui deifice vixerunt quorum
pentur. per hanc causam O anime ex legum institucione
ASCLEPI quod aliis quae colenda post mortem venerantur
uidentur atque ueneranda apud
alios dissimiliter habentur Hac
*(*h *eras.) propterea (ex* propter
corr.) bellis se lacessere AEGYP-
TIORVM solent ciuitates;

*(36ʳ / 37 / T 77 / NF 348 / M
82)*

*(*AESCVLAPIVS* s. lin. scr. NdC)*
et horum O Trismegiste deorum
qui terreni habentur cuiusmodi
est qualitas? *(*TRESMEGISTVS* s.
lin. scr. NdC)* constat O ASCLEPI
de herbis de lapidibus et de aro- 130* nota dicit herbis et lapidibus
matibus diuinitatis natura[le]m diuinitatis naturam inesse/
in se habentibus et propter hanc *linea (5–8)*
causam sacrificiis frequenti-
bus oble<c>tantur. hymnis et
laudibus et dulcissimis sonis
in modum caelestis *(36ᵛ)* har-
moniae concinentibus. ut illud 131* quomodo homo per armonias
quod caeleste est caelestius et occultas virtutes. herbarum

et frequentatione inlectum in idola possit laetum humanitatis patiens longa durare per tempora; sic deorum fictor est homo; et ne putassis fortuitos effectus esse terrenorum deorum O ASCLEPI dii caelestes inhabitans *(lege* inhabitant*)* summa caelestia unusquis<que> ordinem quem accepit conplens atque custodiens; hii nostri uero singillatim quaedam curantes. quaedam sortibus et diuinatione praedicentes. quaedam prouidentes. hisque pro modo subuenientes. humanis amica quasi cognatione auxiliantur;

(36ʳ⁻ᵛ / 38 / T 78 / NF 348–349 / M 83)

et lapidum. et sacrificia spiritus idolorum durare facit etc.

132* nota differenciam inter celestes et mundanos deos.

(AESCVLAPIVS* s. lin. scr. NdC) quam ergo rationis partem himarmene *(εἱμαρμένη)* uel fata incolunt. O TRISMEGISTE? ante *(lege* anne*)* caelestes dii catholicorum dominantur. terreni incolunt singula quam himarmene *(εἱμαρμένην)* nuncupamus? *(*TREMEGISTVS* *s. lin. scr. NdC)* O ASCLEPI ea est necessitas omnium quae geruntur

133* nota de hi<ma>rmenis seu fato.

134* necessitas omnium que geruntur est ex cathena ·conexa·

semper sibi catenatis nexibus
uincta Haec itaque est aut ef-
fectrix rerum aut deus summus
aut ab ipso deo qui secundus 135* secundus deus effectus
effectus est deus. aut omnium *signum*
caelestium terrenarumque re-
rum firmata diuinis legibus disciplina; haec itaque himarmene
(εἱμαρμένη) et necessitas ambae
sibi inuicem indiuiduo cone-
xae sunt glutino. quorum *(lege*
quarum*)* prior himarmene *(εἱ-*
μαρμένη) rerum omnium initia
parit. necessitas *(ex* necessitates 136* himarmene parit rerum inicia
corr.*)* uero cogit ad <ef>fectum necessitas cogit ad effectum
quae ex illius primordiis pen- has sequitur ordo.
dent; has ordo consequitur id
est textus et dispositio temporis
rerum perficiendarum. nihil est
enim sine ordinis conpositione
in omnibus mundus iste perfectus est; ipse enim mundus
ordine gestatur uel totus constat 137* (totus mundus constat ex or-
ex ordine. dine)

(36ᵛ / 39 / T 78–79 / NF 349–
351/ M 83–84)

haec ergo tria. himarmene *(εἱ-*
μαρμένη). necessitas. ordo. uel
maxime dei nutu sunt effecta.
quae *(lege* qui*)* mundum guber-

nat sua lege et ratione diuina;
ab his ergo omne uelle aut nolle
diuinitus auersum est totum;
nec ira etenim conmouentur
nec flectuntur gratia *(ex* gratias
corr.). sed seruiunt necessitati
rationes *(lege* rationis*)* aeternae;
quae aeternitas inauersibilis inmobilis insolubilis est; prima
ergo himarmene *(εἱμαρμένη)* 138* himarmene seminat.
est quae iacto uelut semine   necessitas ad effectum ducit
futurorum omnium sufficit *(ali-* ordo seminata et producta ser-
ter suscipit* *s. lin. scr.*   uat.
NdC)   *linea (1–19)*
prolem; sequitur necessitas qua
ad effectum incoguntur omnia;
tertius ordo textum seruans
earum rerum quas himarmene
(εἱμαρμένη) necessitasque dis-
ponit; haec ergo est aeternitas
quae nec coepit esse nec desi-
net. quae fixa inmutabili lege
currendi sempiterna conmo-
tione uersatur. oriturque et oc-
cidet alternis saepe per membra
ita ut *(ex* aut *corr.)* uariatis tem- 139* nota
poribus isdem quibus occiderat   *signum*
membris oriatur. sic est enim
rutunditas uolubilis ratio ut ita 140* nota rotundi volubilis racio est
sibi coartata sint cuncta ut ini- eterna. quantum occidit tantum
tium sit quod sit uolubilitatis ig- oritur/ in quo ignoratur uolu-
nores *(aliter ut quod sit inicium* bilitatis inicium
volubilitatis ignores* *s. lin. scr.*
NdC) cum omnia se semper et

praecedere uideantur et sequi; euentus autem uel fors insunt omnibus permixta mundanis;

(37ʳ / 40 / T 79-80 / NF 351–352 / M 84–85)

de adyto *(*abdito* s. lin. scr. NdC)* uero aegressi cum deum orare cepissent in austrum respicientes Sole etenim occidente cum quis deum rogare uoluerit illuc debet *(37ᵛ)* intendere sicuti et sole oriente in eum qui subsolanus dicitur; iam ergo dicentibus praecationem Asclepivs ait uoce summissa O Tat uis *(in* Tati *corr.)* suggeramus patri iusserit. ut ture addito et pigmentis praecem dicamus deo; quem Trismegistvs audiens atque conmotus ait melius melius ominare Asclepi. hoc enim sacrilegis simile est cum deum roges tus caeteraque incendere, nihil enim deest ei qui ipse est omnia aut in eo sunt omnia. sed nos agentes gratias adoremus, haec sunt enim summae incensiones dei gratiae cum aguntur <a> mortalibus; gratias tibi summe exsuperantissime.

141* casus et fortuna insunt omnibus ·mundanis·

142* nota quod deus semper a principio per oraciones placabatur et nota eciam versus quam plagam. orabant veteres/

143* sacrilegis simile est cum deum rogas thus incendere cum nullo egeat. summe incensiones sunt gracie que aguntur a mortalibus

144* nota gracias

tua enim gratia tantum sumus
cognitionis tuae lumen con-
secuti. nomen sanctum et hono-
randum nomen unum quo solus
deus est benedicendus religione
paterna. quoniam omnibus pa-
ternam pietatem et religionem
et amorem et quecumque est
dulcior efficacia praebere dig-
naris, condona<n>s nos sensu
ratione intellegentia; sensu ut
te cognouerimus (cognosca-
mus* s. lin. scr. NdC) ratione
ut te suspicionibus indagemus
cognitione ut te cognoscentes
gaudeamus ac numine saluati 145*
tuo; gaudemus quod te nobis
ostenderis totum gaudemus
quod nos in corporibus sitos
aeternitati fueris consecrare
dignatus. haec est enim humana
sola gratulatio cognitio maiestatis tuae. cognouimus te et
lumen maximum solo intellectu
sensibili intelligimus o uitae
uera uita; o naturarum omnium
fecunda praegnatio cognouimus
te totius naturae tuo conceptu
plenissimum; cognouimus te
aeterna perseueratio; in omni
enim ista oratione adorantes
(38ʳ) bonum bonitatis tuae hoc
tantum deprecamur ut nos uelis

nota numine tuo saluati gaudemus. ex hoc habes quod
antiquorum fides fuit non nisi
dei numine saluari posse/ et
quod summum gaudium est dei
cognicio intellectualis.
linea (17–32) et manicula

seruare perseuerantes in amore
cognitionis tuae et numquam ab
hoc uitae generes parari *(lege
genere separari)*; haec optantes
conuertimus nos ad puram et 146* nota de cena pura sine animali-
sine animalibus cenam bus

*(37ʳ–38ʳ / 41/ T 80–81 / NF
352–355/ M 85–86)*

APVLEI MADAVRENSIS

DE PLATONE ET EIVS DOGMATE

ET

DE MVNDO

LIBRI

DE PLATONE ET EIVS DOGMATE

quae autem consul[a]ta quae docmata *(δόγματα)* Graece licet dici ad utilitatem hominum uidendi qui et *(lege* uiuendique*)* intellegendi ac loquendi rationem extulerit *(scil.* PLATO*)* hinc ordiemur; Nam quoniam tres partes filosofiae congruere inter se primus optinuit nos quoque separatim dicemus de singulis a naturali philosophia facientes exordium;

1* PLATO de partibus tribus philosophie primo locutus est.

(40ʳ / I,IV / T 86 / B 63 / M 91–92)

initia rerum tria esse arbitratur PLATO deum et materiam rerumque formas. quas ideas *(ἰδέας)* idem uocat. inabsolutas informes nulla specie nec qualitatis significatione distinctas; sed haec de deo sentit quod sit incorporeus, is unus ait ap<er>imetros *(ἀπερίμετρος).* genitor rerumque omnium extortor *(lege* exstructor*)*. beatus et beatificus. optimus. nihil indigens. ipse conferens

2* de rerum inicijs.
linea (1–3)

3* quid PLATO de deo senciat

4* *signum*

cuncta; quem quidem cae-
lestem pronuntia[n]t. indictum
innominabilem et ut ait ipse
aoraton (ἀόρατον) adamaston
(ἀδάμαστον); cuius naturam
inuenire difficile est. si in-
uenta sit in multos eam enuntiari non posse; PLATONIS haec
uerba sunt; ΘΕΟΝ ΕΥΡΕΙΝ
ΤΕ ΕΡΓΟΝ ΕΥΡΟΝΤΑ ΤΕ
ΕΙC ΠΟΛΛΟΥC ΕΚΦΕΡΕΙΝ
ΑΔΥΝΑΤΟΝ (θεὸν εὑρεῖν τε
ἔργον εὑρόντα τε εἰς πολλοὺς
ἐκφέρειν ἀδύνατον) Materiam
uero i<n>procreabilem incor-
ruptamque commemorat. non
ignem neque aquam nec aliud
de principiis. et absolutis elementis esse sed ex omnibus
primam figurarum capacem
factionique (lege fictionique)
subiectam adhuc rudem et figu-
rationis qualitate uiduatam deus
artifex conformat uniuersa<m>;
infinita<m> uero idcirco quod ei
sit interminata magnitudo; nam
quod infinitum est indistinctam
magnitudinis habet finem atque
ideo cum uiduata sit fine in-
finibilis recte uideri potest;
sed neque corpoream [sed]
ne<c> sane (40ᵛ) incorpoream
concedit esse; ideo autem non

5* quid ·materia·
linea (13-31)

6* materia prima est viduata omni
forma sed earundem capax que
deus conformat/
7* quomodo materia sit infinita. id
est non determinata.
linea (24-31)

8* quod materia nec corporea nec
incorporea sit/ sed vi et racione
corporea est/

putat corpus. quod omne corpus specie qualicumque non
careat; sine corpore uero esse
non potest dicere quod nihil
incorporale corpus exhibeat.
sed ui et ratione sibi eam uideri
corpoream; atque ideo nec actu
solo neque tamen sola opinione
cogitationis intellegi; namque
corpora propter insignem
<e>uidentiam sui simili iudicio
cognosci. sed quae substantiam
non habent corporum ea cogita-
tionibus uideri; unde adulterata
opinione ambiguam materiae
huius intellegi qualitatem;

*(40ʳ⁻ᵛ / I,V / T 86–87 / B 63–65
/ M 92–93)*

9* (nichil incorporale corpus exhi-
bet) ex quo habes quod corpus
ex corporalibus. tamen exoritur

10* que substanciam non habent
corpoream cogitacionibus vi-
dentur/

ideas *(ἰδέας)* uero id est formas
omnium simplices et aeternas
esse nec corporales tamen;
esse autem ex his quae deus
sumpserit exempla rerum
quae sunt eruntue nec posse
amplius quam singularum
specierum singulas imagines
in exemplaribus inueniri gig-
nentiumque omnium ad instar
caerae formas et figurationes
ex illa exemplorum inpressione

11* de jdeis. quomodo sunt forme
eterne incorporales ex quibus
sunt rerum exempla.

12* *signum*

13* nota sicud cera rapit in se
figuram sigilli. sic omnium
gignencium forme ab ideis
exemplantur/

signari; OYCIAC *(οὐσίας)* quas
essentias dicimus duas esse ait
per quas cuncta gignantur mun-
dusque ipse; quarum una cogi-
tatione sola concipitur. altera
sensibus subici potest; sed illa
quae mentis oculis conprehenditur semper et eodem modo
et sui par ac similis inuenitur.
et quae uere sit; at enim altera
opinione sensibili et irrationa-
bili aestimanda est quam nasci
et interire ait; et sicut superior
uere esse memoratur hanc non
esse uere possumus dicere; et
primae *(in* prime *corr.)* quidem substantiae uel essentiae
primum deum esse et mentem
formasque rerum et animam;
secundae substantiae omnia
(41ʳ) quae informantur quaeque
gignuntur et quae ab substantiae superioris exemplo originem
ducunt *(ex* dicunt *corr.).* quae
mutari et conuerti possunt.
labentia et ad instar fluminum
profuga; adhuc illa quam dixi
intellegendi substantia quoniam constanti nititur robore.
etiam quae de ea disputantur
ratione stabili et fide plena sunt;
at eius que* *(ex* eiusq; *corr. et*
scilicet secunde usie* *s. lin. scr.*

14* vsias esse essencias et has du-
plices nota quasdam eternas
que solo intellectu videntur
alteras corruptibiles que sensu
videntur/ que vere non est.

15* que sunt prime vere essencie
que vere sunt/ et que secunde
linea (15–19)

16* secunde substancie a priori e-
xemplarem originem trahunt

NdC) ueluti umbra et imago est superioris. rationes quoque et uerba quae de ea disputantur inconstanti sunt disciplina;

(40ᵛ–41ʳ / I,VI / T 87–88 / B 65 / M 93–94)

Initium omnium corporum materiem esse memorauit. hanc et signari inpraessione formarum. hinc prima elementa esse progenita. ignem et aquam et terram et aera; quae si elementa sunt. simplicia esse debent neque ad instar syllabarum nexu mutuo copulari quae *(scilicet conexio* s. lin. scr. NdC)* istis euenit quarum substantia multimoda *(ex* multi potestatem *corr.)* coitione *(coicione* s. lin. scr. NdC)* conficitur; quae cum inordinata permixtaque essent ab illo aedificatore mundi deo ad ordinem numeris et mensuris in ambitum deducta sunt; haec e plurimis elementis ad unum redacta esse et ignem quidem et aera et aquam habere originem atque principium ex trigono qui sit anguli rectum *(lege* recti*)* imparibus <lateribus>. terram uero directis quidem angulis

17* Inicium corporum materiam ex eius prima impressione figurarum (id est formarum *s. lin. scr. NdC*) elementa./ *linea (1–4)*

18* nota quomodo a deo edificatore mundi confusa elementa sunt ordinata.

19* quomodo ignis aqua et aer habent originem ex trigono.

20* credo quod sic debeat dici./ ex trigono qui sit anguli recti cum imparibus/ *(in marg. sin.)*

trigonis et uestigiis paribus
esse; et prioris quidem formae
(scilicet trigoni primi* *s. lin.
scr. NdC)* tres species exis-
tere. pyramidem. octangulam
et uigintiangulam spheram. et
pyramidem* *(ex* pyramidam
corr. NdC) figuram ignis in se
habere; octangulum *(lege* octangulam*)* uero aeris angulatam
uicies spheram aque* *(ex* seram
atque *corr. NdC)* dicatam esse;
equipedum *(ille* est secundus
triangulus* *s. lin. scr. NdC)*
uero trigonum efficere ex sese
quadratum cybon *(κύβον)* quae
terrae sit propria; quapropter mobilem pyrami*(41ᵛ)*dis
formam igni dedit quod eius
celeritas agitationi huius videa-
tur esse consimilis; secundae
uelocitatis octangula sfera est.
hanc aeri detulit qui laeuitate
et pernicitate post ignem secundus esset; uicenalis spera loco
tertio est. huius forma fluuida
et uolubilis aquae similior est
uisa; restat tesserarum figura.
quae cum sit inmobilis terrae constantiam non absurde
sortita est et alia initia inueniri
forsitan posse <ait>; quae deo
nota si<n>t uel ei qui sit diis
amicus;

21* nota ignis habet pyramidalem
figuram aer octangulam aqua
vicenalem terra quadrangulam/

22* nota licet PLATO illa inuenerit
inicia/ alij tamen dei dono possunt inueniri/
linea (30–33)

(41^{r–v} / I,VII / T 88–90 / B 66–67
/ M 94–96)

hinc unum esse mundum in
eoque omnia nec relictum
locum in quo alius. nec elementa superesse ex quibus
alterius mundi corpus possit
esse; ad haec ei attributa est
perpetua iuuentas et inuiolata
ualitudo eoque nihil praeterea
extrinsecus est relictum quod
corrumpere posset ingenium
eius. et si superesset non eum
laederet. cum ita apud se ex
omni parte <conpositus> atque
ordinatus foret ut aduersantia et
contraria naturae disciplinaeque
eius. officere non possent; idcirco autem perfectissimo et
pulcherrimo mundo instar pul-
chrae et perfec*(42^r)*tae sferae a
fabricatore deo quaesitum est ut
sit nihil indigens. sed operiens
omnia coercensque contineat.
pulc<he>r et admirabilis. sui
similis sibique respondens;
hinc illius *(lege* illud*)* etiam
<cum> septem locorum motus
habeantur. pro<gres>sus et
retrocessus. dexterioris ac sini-
stri. sursum etiam deorsumque

23* unus est mundus perpetuus.
signum

24* nota causam perpetuitatis
mundi./
signum

25* septem locorum motus.

nitentium et quae in gyrum circuitumque torquentur; ex superioribus remotis. haec una mundo relicta est sapientiae et prudentiae propria ut rationabiliter uolueretur; et hunc quidem mundum nunc sine initio esse dicit. alias originem habere natumque esse; nullum autem eius exordium atque initium esse ideo quod semper fuerit; natiuum uero uideri quod ex his rebus substantia eius et natura constet quae nascendi sortitae sunt qualitatem. hinc et tangitur et uidetur sensibusque corporeis est obuius; sed quod ei nascendi causam deus praestitit ideo inmortali perse\<ue\>rantia est semper futurus;

(41ᵛ–42ʳ / I,VIII / T 90–91 / B 67–68 / M 96–97)

26* nota quomodo PLATO aliquando dicit mundum sine inicio esse/ aliquando inicium habere et quomodo hoc intelligitur
linea (6–15)

27* nota quia deus praestitit mundo nascendi causam/ hinc \<mundus\> est immortalis
signum

animam uero animantium omnium non esse corpoream nec sane perituram cum corpore fuerit absoluta omniumque gignentium esse seniorem atque ideo *(id eras.)* et imperitare et regere ea quorum curam fuerit diligentiamque

28* quod omnium animancium anima est incorporea/ et immortalis

sortita. ipsamque semper et per
se moueri agitatricem aliorum.
quae natura sui inmota sunt
atque pigra; sed illam fontem
animarum omnium caelestem
animam optimam et sapientis-
simam uirtute esse genetricem.
subseruire etiam fabricatori deo
et praesto esse ad omnia inuen-
ta eius pronuntiat; uerum substantiam mentis huius numeris
et modis confici congeminatis
ac multipli*(42ᵛ)*catis augmentis
incrementisque per se et extrinsecus partis. et hinc fieri ut musice *(ex* musicae *corr.)* mundus
et canore moueatur Naturasque
rerum binas esse et earum alteram esse quae ueniat in mentem
quam quidem ΔΟΖΑCΤΗΝ
(δοξαστὴν) appellat ille et
quae uideri oculis et attingi
manu possit alteram cogita-
bilem et intellegibilem; detur
enim uenia nouitati uerborum
rerum obscurantibus seruienti
Et superiorem quidem partem
mutabilem esse ac facilem con-
tuenti; hanc autem quae mentis
acie uidetur et penetrabili cogi-
tatione percipitur atque concipitur. incorruptam inmutabilem
constantem eundemque *(lege*

29* ·vnde substancia anime·

30* vide quod armonia est substancia anime mundi/

31* cur mundus musice moueatur
quia anima eius est armonia

32* de duplici rerum natura sensibili et intelligibili prima cor-
ruptibilis secunda incorrupti-
bilis prime esse est fortuitum
secundum constans/

eandemque) et semper esse;
hinc et duplicem rationem in-
terpretationemque dicit; namque illa uisibilis fortuita et
inita *(lege* non ita*)* perseueranti
suspicione colligitur. at *(ex* ad
corr.) haec intellegibilis uera
perenni et constanti ratione pro-
batur esse;

*(42^{r-v} / I,IX / T 91–92 / B 68–69
/ M 97–98)*

tempus uero aeui esse imaginem si quid tempus mo-
uetur. perennitatis fixa et inmota
natura est; et ire in eam tempus
et in eius magnitudinem fluere.
ac dissolui posse si quando hoc
decreuerit fabricator mundi
deus Eiusdem temporis spatiis
mensuras mundanae conuer-
sionis intellegi; solis quippe
et lunae globum hoc agere
ceterasque stellas quas nos
non recte erron<e>as et uagas
dicimus; nostrae enim super
earum cursibus opiniones dis-
putationesque possunt *(ex* sunt
corr.) in errorem intellectum
incidere; ceterum *(ex* ceterarum
corr.) ille rerum ordinator ita

33* tempus ymago eui
      signum

34* tempus potest fluere in euum ex
      decreto creatoris
      signum

35* nota duracio temporis per re-
      uersionem transit in euum/

36* *manicula*

reuersiones earum. ortus. obitus. recessus. moras. progres-
susque constituit. ut ne modico
quidem errori locus esset;

*(42ᵛ / I,X / T 92-93 / B 69 / M
98–99)*

unde fit ut et magnus ille uocita-
tus annus facile nascatur; cuius
tempus inplebitur cum uagan-   37* de magno anno PLATONIS.
tium stellarum comitatus ad   *linea (1–7)*
eundem peruenerit finem. no-
uumque sibi exordium et itinera
per uias mundi reparauerit;

*(43ʳ / I,X / T 94 / B 70 / M
99–100)*

Globorum uero caelestium ne-   38* de ordine celorum planetarum
xorum inter se per uices mu-
tuas. omnium supraemum esse
eum qui inerrabili meatu cen-
setur. eius amplexu ceteros co-
erceri *(ex* coercere *corr.)* et esse
aplanis *(ἀπλανέσι)* primum
ordinem. secundum SATVRNO
datum. IOVIS. tertium. MARTIS
quartum tenere. quintum MER-
CVRIO dari. sextum VENERIS
(43ᵛ) esse. septimum SOLIS

itineribus incendi. octauum me-
tiri Lvnam; exinde elementis
omnia ac principiis occupari;
ignem ante alia *(ex* alias *corr.)*
superiorem esse mox aeris locum. hinc aquae proximum. et
tunc globum terrae in medio
situm. aequalem loco ac figura,
inmobilem stare; hos astrorum
ignes. spheris adfixos perpetuis
atque indefessis cursibus labi
Et hos *(ex* hoc *corr.)* animalis
deos dicit esse; spherarum uero
ingenium ex igni coalitum et
fabricatum; iam ipsa animantium genera in quatuor species
diuiduntur. quarum una est ex
natura ignis eiusmodi qualem
Solem ac Lvnam uidemus cae-
terasque siderum stellas; alterum ex a<e>ria qualitate. hanc
etiam daemonem dicit; tertium
ex aqua terraque coalescere
et mortale genus corporum ex
eo diuidi terrenum atque ter-
restre; sic enim et ponenepte-
pon *(fortassis ex* πονέω *et*
νέρτερος) censuit nuncupanda;
terrenumque esse arborum ce-
terarumque frugum. quae humi
fixae uitam trahunt. terrestri<a>
uero quae alit ac sustinet tellus;
deorum trinas nuncupat species

39* planetas animales deos Plato
ait. et speras ex igne/

40* Sol ex natura ignis.

41* demones aereos

42* de triplici specie deorum

quarum est prima unus et solus summus ille ultramundanus incorporeus. quem patrem et architectum huius diuini orbis superius ostendimus; aliud genus est quale astra habent ceteraque numina *(ex* nomina *corr.)* quos caelicolas nominamus. tertium habent quos medioxymos Romani ueteres appellant quod [est] sui ratione sed loco et potestate diis summis sint *(in* sunt *corr.)* minores natura hominum profecto maiores;

43* *manicula*

(43ʳ⁻ᵛ / I,XI / T 94–95 / B 70–71 / M 100–101)

sed omnia quae naturaliter et propterea recte feruntur prouidentiae custodia gubernan *(44ʳ)* tur. nec ullius mali causa deo poterit adscribi; quare nec omnia ad fati sortem *** arbitratur esse referenda; ita enim definit prouidentiam esse diuinam sententiam conseruatricem prosperitatis eius cuius causa tale suscepit officium; diuinam legem esse fatum. per quod ineuitabiles cogitationes dei atque incepta conplentur. unde

44* de prouidencia

45* nota quid prouidencia

46* quid fatum

si quid prouidentia geritur.
id agitur et fato. et quod fato
terminatur prouidentia debet
susceptum uideri; et primam
quidem prouidentiam · esse
summi exsuperantissimique deorum omnium. qui non solum
deos caelicolas ordinauit quos 　47*　nota hoc
ad tutelam et decus per omnia
mundi membra dispersit. sed
natura etiam mortales eos qui
praestarent sapientia ceteris ter-
renis animantibus ad aeuitatem
temporis sedit *(in* fecit *corr.)*
fundatisque legibus reliquarum
dispositionum ac tutelam rerum. quas cotidie fieri necesse
est diis ceteris tradidit; unde
susceptam prouidentiam dii secundae prouidentiae ita nauiter
retinent. ut omnia etiam quae
caelitus mortalibus exhibentur.
inmutabilem ordinationis pater-
nae statum teneant; daemonas
uero quos GENIOS et LARES 　48*　nota de demonibus qui lares et
possumus *(ex* possum *corr.)* 　　　genij vocantur
nuncupare. ministros deorum 　　　*signum*
arbitra[n]tur. custodesque hominum et interpretes. si quid
a diis uelint; nec sanae omnia
referenda esse ad uim fati
puta[n]t. sed esse aliquid in nobis et in fortuna esse non nihil;

et fortunae quidem inprouidos
casus ignorari a nobis fatetur;
instabile enim quiddam et in-
currens intercedere solere quae
consilio fuerint et meditatione
(44ᵛ) suscepta quae non patiatur
meditata ad finem uenire. et
tunc quidem cum impedimen-
tum istud utiliter prouenit. res
illa felicitas nominatur; at *(ex
ad corr.)* ubi repugnatione<s>
istae nociuae erunt infelicitas
dicitur; omnium uero terrenorum nihil homine praestabilius
prouidentia dedit;

49* quid felicitas et infelicitas

*(43ᵛ–44ᵛ / I,XII / T 95–96 / B
71–73 / M 101–103)*

quare idem bene homines pro-
nuntiant esse animam corporis
dominam; at enim cum tres
partes animae ducat *(in* dicat
corr.) esse. rationabilem id est
mentis optumam portionem.
hanc ait capitis arcem tenere
irascentiam uero procul a ratione ad domicilium cordis
deductam esse obsequique
eam in loco respondere sapientiae. cupidinem atque adpetitus
postremam mentis portionem

50* ·anima corporis domina·

51* de tribus partibus anime scilicet
racionabili irascibili et con-
cupiscibili et ·suarum sedibus·
signum

infernas abdominis sedes tenere ut popinas quasdam et
latrinarum latebras deuersoria
nequitiae atque luxuriae; rele-
gatam uero idcirco longius a
sapientia hanc partem uideri ne
inportuna uicinitas et rationem
consumptam desuper cuncto-
rum saluti *(ex* saluiti *corr.)* in
ipsa cogitationum utilitate tur-
baret; totum uero hominem in
capite uultuque esse; nam prudentiam sensusque omnis non
alias quam illa parte corporis
contineri;

52* totus homo capite continetur
linea (11–12)

*(44ᵛ / I,XIII / T 97 / B 73 / M
103–104)*

sensus uero ipsi ad ea quae sunt
sensibilia apte conposita natura
intellegentiam cognatam tenent;
ac primo oculorum acies ge-
mellas perlucidas esse quidam
(lege et quadam*)* luce uisionis
inlustres. noscendi luminis
officium tenere; auditionem
uero aeriae naturae participem
aeris nuntiis percipere sonoris;
iam gustatus soluciores esse
sensus ideoque umidioribus et
aquosis potius commodatos;

53* nota hic infra corporis habitudinem per singula membra.
linea (1–3)

tactum etiam terrenum atque
corporeum solidiora quaeque
contingi offendique possunt.
sentire; eorum etiam quae corrupta mutantur separata intellegentia est; in media namque
regione oris. nares natura constituit. quarum bifori uia odor
cum spiritu commeat; con-
uersiones autem mutationisque
odoratis causas dare easque de
corruptis uel adustis uel mites-
centibus aut madefactis sentire
(lege sentiri*)* cum quidem ea
quae <fe>runtur uapore uel
fumo exhalantur †odore† uiis
iudicium sensusque succedunt;
nam si res stent integrae et aer
purus numquam eiusmodi au-
ras *(lege* auris*)* inficiunt; eo
sensus quidem ipsi communes
nobis sunt cum ceteris animantibus; at enim hominum soller-
tia eiusmodi diuino beneficio
instructior auctiorque. quod
auditus ille est uisusque prae-
stantior; oculis namque metitus
est caelum. siderumque circui-
tus et astrorum obitus atque
ortus eorumque cum significa-
tibus spatia conprehendit. ex
quo pulcherrimus et uber*(45ᵛ)*
rimus fons ille philosophiae

54* fons philosophie profluxit ex
visu

profluxit; auditu uero quid homini magnificentius potuit euenire. per quem prudentiam sapientiamque condisceret. numerosque orationis metiretur. ac modos faceret fieretque ipse totus modulatus ac musicus Lingua et dentium uallum et ipsius osculi uenustas accessit. quod quidem al<i>is animantibus <ad> exple<n>dam uictus necessitatem inferendasque uentri copias conparatum est. sed hominis prompt<u>arium potitus recte rationis et suauissimae orationis hoc datum est. ut quae prudentia corde conceperit ea sensa promat oratio

55* de auditu. nota.

56* nota os promptuarium recte racionis potitus.

(45ʳ⁻ᵛ / I,XIV / T 97–99 / B 73–75 / M 104–106)

sed totius corporis habitus ei *(lege* et*)* figura membrorum alia condicione sunt optuma. alia longe peiora. inferiora reguntur optimatium praestantia et ipsa ministerium suggerunt uictuale; pedes denique <***> umeroru<m> tenus capiti oboediunt;

57* nota de membrorum respectu

(45ᵛ / I,XV / T 99 / B 75 / M 106)

quid de cibatu ipso loquar.
quem itinera ex utero manentia
fibris iecoris adiuncta disper-
tiunt in cruoris habitudinem
uersum. ut eum ex eo loco per
omnes artus natura sollers de-
riuari faci<a>t

58* nota de cibo.

(46ʳ / I,XVI / T 100-101 / B 76 / M 107–108)

tripertitam animam idem dicit;
primam eius rationabilem esse
partem aliam excandescen-
tiam uel inritabilitatem. tertiam
adpetitus eandem cupiditatem
possumus nuncupare. sed tunc
animanti sanitatem *(ex* ani-
mantis animantem *corr.)* adesse
uires pulchritudinem cum ratio totum regit parentque *(ex*
parentemque *corr.)* ei inferiores
duae partes. concordantesque
inter se iracundia et uoluptas nihil adpetunt. nihil commouent.
quod inutile esse duxeri[n]t ratio. eiusmodi ad aequabilitatem
partibus anima etenimperatis

59* ·de tripertita anima·

60* nota animanti sanitatem adesse
quando irascibilis et concupis-
cibilis racione gubernantur/

(lege animae temperatis*)* corpus nulla turbatione frangitur
Alioquin inuehit aegritudinem
atque <in>ualentiam et foe-
ditatem cum incomposite et
inequales inter se erunt. cum
irascentiam *(47ʳ)* et consilium
subegerit. sibique subiecerit
cupiditas. aut cum dominam illam reginamque rationem obse-
quente licet et pacata cupidine
(ex cupidini *corr.)* ira flagrantior
uicerit; sed aegritudinem mentis stultitiam esse dicit eamque
in partes duas diuidit. harum
unam in *** peritiam nominat.
aliam insaniam uocat; et inperi-
tiae *** morbum ex gloriosa
iactatione contingere. cum eorum *** quorum ignarus est
doctrinam aliquis scientiamque
mentitur. furorem uero pessima
consuetudine et libidinosa uita
solere euenire hancque insaniam nominari quam uitiosa.
qualitas corporis prodi[i]t. cum
ea quae rationi sunt parata in
ipso uertice inportunis angusti-
is coartantur; at enim hominem
tunc esse perfectum cum anima
et corpus aequaliter copulantur
et inter se conueniunt sibique
respondent. ut firmitas mentis

61* egritudo mentis est stulticia.
que est duplex scilicet inpericia
et insania.
linea (13–18)

62* nota quis sit perfectus homo.
signum

praeualentibus corporis uiribus non sit inferior; corporis uero tunc natiuis incrementis augetur cum ualitudinis passio *(ex patio corr.)* procurata salubriter modum necessarii uictus nescit excedere Nec ualetudo obteritur magnitudine externorum laborum. nec pabuli sarcina inmoderatius inuecti uel non ut oportet degesti distribuitque per corpus.

(46ᵛ–47ʳ / I,XVIII / T 102–103 / B 77–78 / M 109–110)

bonorum igitur alia eximia ac prima per se ducebat *(scil.* PLATO*)* esse. per praeceptionem caetera bona fieri existimabat Prima bona esse deum summum mentemque illam quam NOYN *(νοῦν)* idem uocat; secundum ea quae <ex> priorum fonte profluerent esse animi uirtutes. prudentiam. iustitiam. pudicitiam. fortitudinem; sed his omnibus praestare prudentiam. secundam numero ac potestate continentiam posuit. has iustitiam sequi fortitudinem quartam esse; differentiam

63* prima bona. deus et nois

64* secunda bona que ex hijs. fluunt
virtutes
signum

65* nota ordinem virtutum.
signum

hanc bonorum esse constituit. partim diuina per se et prima simplicia duci bona. alia hominum nec eadem omnium existimari; diuina quapropter esse atque simplicia uirtutes animi; humera *(aliter humana* s. lin. scr. NdC)* autem bona ea que quorundam essent quae cum corporis commodis congruunt. et illa quae nominamus externa quae sapientibus et cum ratione ac modo uiuentibus sunt sine *(lege* sane*)* bona; stolidis et eorum usum ignorantibus esse oportet mala;

66* que bona diuina et que humana.
signum

(47ᵛ / II,I / T 104 / B 79–80 / M 111–112)

bonum primum est uerum et diuinum illud optimum et amabile et concupiscendum. cuius pulchritudinem rationabiles appetunt mentes natura duce instincta eadem *(lege* instinctae ad*)* eius ardorem Et quod non omnes id adipisci quaeunt neque primi boni adipiscendi facultatem possunt habere ad id feruntur quod hominum est Secundum nec commune multis

67* bonum mentis est verum et diuinum.

est nec [quod] omnibus similiter bonum; Namque adpetitus et
agendi aliquid cupido aut uerbo
bono incitatur. aut eo quod
uideatur bonum; unde natura duce cognatio quaedam est
cum bonis ei animae partioni[s]
quae curationi *(lege* cum ratione*)* consentit; accidens *(48ʳ)*
autem bonum est e<t> putatur.
quod corpori rebusque ueni-
entibus extrinsecus copulatur;
et illum quidem qui natura
inbutus est ad sequendum *(in*   68* nota
assequendum *corr.)* bonum non
modo sibimet intimatum putat
sed omnibus etiam hominibus
nec pari aut simili modo uerum
etiam   <***>   unumquemque
acceptum esse dehinc proximis
et mox ceteris qui familiari usu
uel notitia iunguntur.

*(47ᵛ–48ʳ / II,II / T 104–105 / B
80 / M 112)*

hominem ab stirpe ipse *(lege*   69* nota quomodo homo ab origine
ipsa*)* neque absolute malum   nec bonus nec malus.
nec bonum nasci. sed ad
utrumque procliue ingenium
eius esse; habere semina quidem quaedam utrarumque

rerum cum nascendi origine copulata quae educationis disciplina in partem alteram debeant emicare. doctoresque puerorum nihil antiquius curare oportet quam ut amatores uirtutum uel inter se *(lege* uelint esse*)* moribus et institutis eos ad id prorsus imbuere ut regere et regi discant magistra iustitia; quare praeter cetera induci ad hoc eos oportere. ut sciant quae sequenda fugiendaque sint. esse honesta et turpia illa uoluptatis ac laudis †hactenus† dedecoris ac turpitudinis Honesta eadem quae sunt bona confidenter optare nos oportere; tria genera ingeniorum ab eo sunt conpraehensa quorum praestans egregium appellat unum alterum deterrimum pessimumque. tertium ex utroque modice temperatum medium nuncupauit; mediocritatis huius uult esse participes puerum docilem. et uirum progredientem ad modestiam eundemque commodo ac uenustum; eiusmodi quippe medietatis inter uirtutes et uitia intercedere dicebat tertium quiddam ex co alia laudanda alia *(48ᵛ)* culpanda essent; in-

70* nota de doctoribus puerorum *signum*

71* tria genera ingeniorum

72* nota quomodo virtus est in medio/

ter scientiam ualidam alteram
falsam peruicaciae uanitate
iactatam; Inter pudicitiam li-
bidinosamque uitam abstinen-
tiam et intemperantiam posuit;
fortitudini ac timori medios
pudorem et ignauiam fecit; horum quippe quos mediocres
uult uideri neque sinceras esse
uirtutes nec uitia[tum] mera et
intemperata sed hinc atque inde
permixta esse

*(48^{r–v} / II,III / T 105–106 / B
80–81 / M 113–114)*

DE MVNDO

sed prima remissione ad modum *(lege* motum*)* data sim-
plicique incoacto principio
inpulsibus mutuis ut supra dictum est mouentur. quidem omnia sed ita ut si quis sphaeram et
quadratum et cylindrum et alias   1   nota exemplum bonum
figuras per procliue simul iaciat   *linea (3–10)*
deferentur quidem omnia sed
non eodem genere mouebuntur

(71ᵛ / XXVIII / T 164 / B 147 /
M 177)

Indici

I. Indice dei manoscritti

II. Indice dei nomi (prima del 1800)

III. Indice dei nomi (dopo il 1800)